Collection folio junior en poésie

Maquette : Karine Benoît

© Éditions Gallimard Jeunesse, 1980,
pour le titre,
le choix, la présentation, la préface

© Éditions Gallimard Jeunesse, 1998,
pour la présente édition

Présenté par
Georges Jean

L'AMOUR ET L'AMITIÉ
EN POÉSIE

Gallimard
Jeunesse

L'AMOUR, L'AMITIÉ, LA POÉSIE.

Pour N...

Ajouter au très grand nombre d'anthologies de la poésie
amoureuse existant, un choix original, me paraissait une gageure
impossible à tenir. Le sentiment amoureux, l'érotisme ont
en effet suscité depuis l'origine du langage poétique une telle
floraison de paroles et de textes que plus que tout autre travail
anthologique, celui-là me donnait au départ l'impression que
je ne pourrais glaner que peu de chose parmi toutes ces voix
qui me sollicitaient.

J'avais envie par ailleurs de joindre aux poèmes "parlant d'amour"
quelques textes témoignant de ce sentiment différent mais très
intimement semblable à l'amour qu'est l'amitié. L'âge venant, je
découvre que dans notre monde difficile, la tendresse humaine
s'irradie en même temps et selon des cheminements proches et
des "brûlures" spécifiques dans les paroles du désir, de l'affection,
de la fraternité des femmes, des hommes et des enfants entre eux.
Et Éluard, évoquant "l'ami Picasso", Prévert rendant hommage
à Boris Vian ne sont pas moins de grands poètes de "l'amour fou"
que lorsqu'ils nous découvrent "le corps mémorable"
ou "les enfants qui s'aiment".

Je me suis donc aventuré et j'ai essayé de présenter des poèmes
un peu moins connus que ceux qui figurent dans la plupart des
anthologies de la poésie amoureuse, et de placer comme un
contrepoint quelques musiques plus secrètes où l'amitié chante

sa chanson sûre. Certes, je n'ai pas renoncé pour autant à
des poèmes ultra-connus car il est nécessaire aussi de trouver
dans une telle anthologie des poèmes sans lesquels notre
propre rapport à l'amour et à l'amitié n'a plus de sens.
Comme pour mes précédents recueils je n'ai pris que des
textes français.
J'ajoute enfin que je me suis permis, comme dans d'autres
anthologies réalisées pour cette collection, de mettre un
de mes propres poèmes.
Peut-être par vanité inconsciente. Plus sûrement je crois pour
signer mon travail de façon plus personnelle et parce que le
poème en question est consacré à ma compagne de toujours
en laquelle l'amour et l'amitié sont à jamais confondus, éclairant
ma petite musaique et présidant au plaisir grave de traverser
le langage de feu et de douceur par lequel les poètes magnifient
l'amour et le désir et la chaude amitié des hommes, quand même,
envers et contre tout !

L'AMOUR
D'UNE FEMME

UN SECRET

Mon âme a son secret, ma vie a son mystère :
Un amour éternel en un moment conçu ;
Le mal est sans espoir, aussi j'ai dû le taire.
Et celle qui l'a fait n'en a jamais rien su.

Hélas ! j'aurai passé près d'elle inaperçu ;
Toujours à ses côtés et pourtant solitaire ;
Et j'aurai jusqu'au bout fait mon temps sur la terre,
N'osant rien demander et n'ayant rien reçu.

Pour elle, quoique Dieu l'ait faite douce et tendre,
Elle suit son chemin distraite et sans entendre
Ce murmure d'amour élevé sur ses pas.

A l'austère devoir pieusement fidèle,
Elle dira, lisant ces vers tout remplis d'elle :
"Quelle est donc cette femme ?" et ne comprendra pas.

Félix Arvers (1806-1850). — Ce poète doit surtout sa renommée à un seul sonnet qui depuis est devenu *Le Sonnet d'Arvers.*

LA BELLE EST AU JARDIN D'AMOUR

La belle est au jardin d'amour,
Elle y a passé la semaine.
Son père la cherche partout
Et son amant qu'en est en peine.
Fait demander à ce berger
S'il l'a pas vue dedans la plaine.
— Berger, berger, n'as-tu point vu
Passer ici la beauté même ?
— Comment est-elle donc vêtue
Est-ce de soie ou bien de laine ?
— Elle est vêtue de satin blanc
Dont la doublure est de futaine.
— Elle est là-bas, dans ce vallon,
Assise au bord d'une fontaine ;
Entre ses mains tient un oiseau,
La belle lui conte ses peines.
— Petit oiseau, que t'es heureux
D'être entre les mains de ma belle !
Et moi qui suis son amoureux,
Je ne puis pas m'approcher d'elle.
— Faut-il être auprès du ruisseau,
Sans pouvoir boire à la fontaine ?
— Buvez, mon cher amant, buvez,
Car cette eau là est souveraine.
— Faut-il être auprès du rosier,
Sans en pouvoir cueillir la rose ?
— Cueillez, mon cher amant, cueillez,
Car c'est pour vous qu'elle est éclose.

LES YEUX D'ELSA

Tes yeux sont si profonds qu'en me penchant pour boire
J'ai vu tous les soleils y venir se mirer
S'y jeter à mourir tous les désespérés
Tes yeux sont si profonds que j'y perds la mémoire

A l'ombre des oiseaux c'est l'océan troublé
Puis le beau temps soudain se lève et tes yeux changent
L'été taille la nue au tablier des anges
Le ciel n'est jamais bleu comme il l'est sur les blés

Les vents chassent en vain les chagrins de l'azur
Tes yeux plus clairs que lui lorsqu'une larme y luit
Tes yeux rendent jaloux le ciel d'après la pluie
Le verre n'est jamais si bleu qu'à sa brisure

Mère des sept douleurs ô lumière mouillée
Sept glaives ont percé le prisme des couleurs
Le jour est plus poignant qui point entre les pleurs
L'iris troué de noir plus bleu d'être endeuillé

Tes yeux dans le malheur ouvrent la double brèche
Par où se reproduit le miracle des Rois
Lorsque le cœur battant ils virent tous les trois
Le manteau de Marie accroché dans la crèche

Une bouche suffit au mois de Mai des mots
Pour toutes les chansons et pour tous les hélas
Trop peu d'un firmament pour des millions d'astres
Il leur fallait tes yeux et leurs secrets gémeaux

L'enfant accaparé par les belles images
Écarquille les siens moins démesurément
Quand tu fais les grands yeux je ne sais si tu mens
On dirait que l'averse ouvre des fleurs sauvages

Cachent-ils des éclairs dans cette lavande où
Des insectes défont leurs amours violentes
Je suis pris au filet des étoiles filantes
Comme un marin qui meurt en mer en plein mois d'Août

J'ai retiré ce radium de la pechblende
Et j'ai brûlé mes doigts à ce feu défendu
Ô paradis cent fois retrouvé reperdu
Tes veux sont mon Pérou ma Golconde mes Indes

Il advint qu'un beau soir l'univers se brisa
Sur des récifs que les naufrageurs enflammèrent
Moi je voyais briller au-dessus de la mer
Les yeux d'Elsa les yeux d'Elsa les yeux d'Elsa

L'AMOUR QUI N'EST PAS UN MOT

Mon Dieu jusqu'au dernier moment
Avec ce cœur débile et blême
Quand on est l'ombre de soi-même
Comment se pourrait-il comment
Comment se pourrait-il qu'on aime
Ou comment nommer ce tourment

Suffit-il donc que tu paraisses
De l'air que te fait rattachant
Tes cheveux ce geste touchant
Que je renaisse et reconnaisse
Un monde habité par le chant
Elsa mon amour ma jeunesse

Ô forte et douce comme un vin
Pareille au soleil des fenêtres
Tu me rends la caresse d'être
Tu me rends la soif et la faim
De vivre encore et de connaître
Notre histoire jusqu'à la fin

C'est miracle que d'être ensemble
Que la lumière sur ta joue
Qu'autour de toi le vent se joue
Toujours si je te vois je tremble
Comme à son premier rendez-vous
Un jeune homme qui me ressemble

M'habituer m'habituer
Si je ne le puis qu'on m'en blâme
Peut-on s'habituer aux flammes
Elles vous ont avant tué

Ah crevez-moi les yeux de l'âme
S'ils s'habituaient aux nuées

Pour la première fois ta bouche
Pour la première fois ta voix
D'une aile à la cime des bois
L'arbre frémit jusqu'à la souche
C'est toujours la première fois
Quand ta robe en passant me touche

Prends ce fruit lourd et palpitant
Jette-z-en la moitié véreuse
Tu peux mordre la part heureuse
Trente ans perdus et puis trente ans
Au moins que ta morsure creuse
C'est ma vie et je te la tends

Ma vie en vérité commence
Le jour que je t'ai rencontrée
Toi dont les bras ont su barrer
Sa route atroce à ma démence
Et qui m'as montré la contrée
Que la bonté seule ensemence

Tu vins au cœur du désarroi
Pour chasser les mauvaises fièvres
Et j'ai flambé comme un genièvre
A la Noël entre tes doigts
Je suis né vraiment de ta lèvre
Ma vie est à partir de toi

L ouis Aragon
(1897-1982). –
En lui s'incarne
presque un demi-
siècle de poésie.
Après des études
médicales, il
devient surréaliste,
choisit le
communisme ;
sensible à la
fragilité des
choses, mais
soucieux de justice
et de liberté.
Il a vécu tous les
grands événements
de notre époque ;
ses romans en
témoignent, sa
poésie chante les
hommes, la guerre,
la Résistance,
les déchirements
politiques et un
grand amour,
celui d'Elsa.

AMOUR

Et l'amour ? Il faut nous laver
De cette crasse héréditaire
Où notre vermine stellaire
Continue à se prélasser

L'orgue, l'orgue qui moud le vent
Le ressac de la mer furieuse
Sont comme la mélodie creuse
De ce rêve déconcertant

D'Elle, de nous, ou de cette âme
Que nous assîmes au banquet
Dites-nous quel est le trompé
Ô inspirateur des infâmes

Celle qui couche dans mon lit
Et partage l'air de ma chambre
Peut jouer aux dés sur la table
Le ciel même de mon esprit

Antonin Artaud
(1896-1948). –
Homme torturé,
malade, révolté,
Artaud fut un
homme de théâtre,
un visionnaire et
un très grand
poète. Il fut interné
plus de dix ans.
Il a vécu sa passion
jusqu'aux plus
extrêmes limites.
L'intensité de ses
écrits n'a d'égale
que celle
de sa souffrance.

Toujours pour la première fois
C'est à peine si je te connais de vue
Tu rentres à telle heure de la nuit dans une maison oblique à ma fenêtre
Maison tout imaginaire
C'est là que, d'une seconde à l'autre
Dans le noir intact
Je m'attends à ce que se produise une fois de plus la déchirure
    fascinante
La déchirure unique
De la façade et de mon cœur
Plus je m'approche de toi
En réalité
Plus la clé chante à la porte de la chambre inconnue
Où tu m'apparais seule
Tu es d'abord tout entière fondue dans le brillant
L'angle fugitif d'un rideau
C'est un champ de jasmin que j'ai contemplé à l'aube sur une route
    des environs de Grasse
Avec ses cueilleuses en diagonale
Derrière elles l'aile sombre tombante des plants dégarnis
Devant elles l'équerre de l'éblouissant
Le rideau invisiblement soulevé
Rentrent en tumulte toutes les fleurs
C'est toi aux prises avec cette heure trop longue jamais assez
    trouble jusqu'au sommeil
Toi comme si tu pouvais être
La même à cela près que je ne te rencontrerai peut-être jamais
Tu fais semblant de ne pas savoir que je t'observe
Merveilleusement je ne suis plus sûr que tu le sais
Ton désœuvrement m'emplit les yeux de larmes
Une nuée d'interprétations entoure chacun de tes gestes
C'est une chasse à la miellée
Il y a des rocking-chairs sur un pont il y a des branchages qui
    risquent de t'égratigner dans la forêt

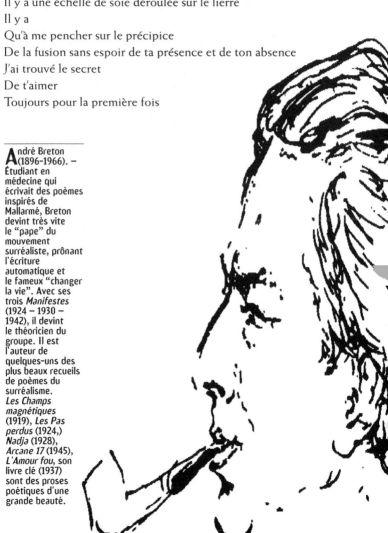

Il y a dans une vitrine rue Notre-Dame-de-Lorette
Deux belles jambes croisées prises dans de hauts bas
Qui s'évasent au centre d'un grand trèfle blanc
Il y a une échelle de soie déroulée sur le lierre
Il y a
Qu'à me pencher sur le précipice
De la fusion sans espoir de ta présence et de ton absence
J'ai trouvé le secret
De t'aimer
Toujours pour la première fois

André Breton (1896-1966). – Étudiant en médecine qui écrivait des poèmes inspirés de Mallarmé, Breton devint très vite le "pape" du mouvement surréaliste, prônant l'écriture automatique et le fameux "changer la vie". Avec ses trois *Manifestes* (1924 – 1930 – 1942), il devint le théoricien du groupe. Il est l'auteur de quelques-uns des plus beaux recueils de poèmes du surréalisme. *Les Champs magnétiques* (1919), *Les Pas perdus* (1924,) *Nadja* (1928), *Arcane 17* (1945), *L'Amour fou*, son livre clé (1937) sont des proses poétiques d'une grande beauté.

Jean Breton
(né en 1930). –
Journaliste,
producteur
d'émissions de
poésie et libraire,
il publie, depuis
1952, des recueils
de poèmes directs,
ardents, où s'allient
l'érotisme et
la révolte contre
les oppressions.

L'AMOUR

Autrefois
j'écoutais le bruit de ma voix
Les volets clos espionnaient la maison
Une mouche se débattait dans les rideaux
Le soleil rampait sur le sol
j'étais loin de moi

maintenant
j'ai regardé la vie de ton côté

et j'ai tout détruit pour t'aimer
je t'aime
j'aime pour la première fois
je t'aime

ta jupe te serre la taille, abat-jour d'une lampe
les passants
veulent savoir qui tu es

qui es-tu ?

ivre de danse tu lançais tes bras aussi haut que tes
jambes
poisson de feu

silencieuse
tes yeux se ferment doucement sur les objets
avant de leur donner un nom

mon corps est l'asile du tien
il s'élève inconnu jusqu'à toi

mais tu es aussi grande que mon amour
et ton sourire se déchire au niveau de mes lèvres

je te connais
pour t'avoir rêvée mille fois
sous les feuilles de la forêt
dans ce monde
où l'air et l'eau ne pèsent pas

je t'aime
parce que tu as eu vingt ans à minuit dans mes bras.

A***

Tu es mon amour depuis tant d'années,
Mon vertige devant tant d'attente,
Que rien ne peut vieillir, froidir ;
Même ce qui attendait notre mort,
Ou lentement sut nous combattre,
Même ce qui nous est étranger,
Et mes éclipses et mes retours.

Fermée comme un volet de buis
Une extrême chance compacte
Est notre chaîne de montagnes,
Notre comprimante splendeur.

Je dis chance, ô ma martelée ;
Chacun de nous peut recevoir
La part de mystère de l'autre
Sans en répandre le secret ;
Et la douleur qui vient d'ailleurs
Trouve enfin sa séparation
Dans la chair de notre unité,
Trouve enfin sa route solaire
Au centre de notre nuée
Qu'elle déchire et recommence.

Je dis chance comme je le sens.
Tu as élevé le sommet
Que devra franchir mon attente
Quand demain disparaîtra.

René Char (1907-1988). – Il publie en 1928 ses premiers poèmes, rencontre Éluard, Aragon, Breton... Entré dans la Résistance en 1940, il écrit, dans le maquis, *Feuillets d'Hypnos.* Puis viendront de nombreux autres recueils, dont *Recherche de la base et du sommet, Le Nu perdu, Aromates chasseurs...* Des textes difficiles mais d'une richesse inépuisable.

SONNET ASTRONOMIQUE

Alors que finissait la journée estivale,
Nous marchions, toi pendue à mon bras, moi rêvant
A ces mondes lointains dont je parle souvent.
Aussi regardais-tu chaque étoile en rivale.

Au retour, à l'endroit où la côte dévale,
Tes genoux ont fléchi sous le charme énervant
De la soirée et des senteurs qu'avait le vent.
Vénus, dans l'ouest doré, se baignait triomphale.

Puis, las d'amour, levant les yeux languissamment,
Nous avons eu tous deux un long tressaillement
Sous la sérénité du rayon planétaire.

Sans doute, à cet instant deux amants, dans Vénus,
Arrêtés en des bois aux parfums inconnus,
Ont, entre deux baisers, regardé notre terre.

Charles Cros
(1842-1888). –
Autodidacte en
langues orientales,
sciences
mécaniques et
physiques, il mena
de pair des travaux
scientifiques
et une œuvre
littéraire.
Précurseur du
phonographe,
il le fut également
du surréalisme,
en littérature,
avec une poésie
saugrenue, cocasse
et d'une parfaite
lucidité.

HÉLOÏSE

La pension que j'habitais avait un voisinage de jeunes brodeuses. L'une d'elles, qu'on appelait la Créole, fut l'objet de mes premiers vers d'amour ; son œil sévère, la sereine placidité de son profil grec, me réconciliaient avec la froide dignité des études ; c'est pour elle que je composai des traductions versifiées de l'ode d'Horace A Tyndaris, et d'une mélodie de Byron, dont je traduisais ainsi le refrain :

> *Dis-moi, jeune fille d'Athènes,*
> *Pourquoi m'as-tu ravi mon cœur ?*

Quelquefois, je me levais dès le point du jour et je prenais la route de***, courant et déclamant mes vers au milieu d'une pluie battante. La cruelle se riait de mes amours errantes et de mes soupirs ! C'est pour elle que je composai la pièce suivante, imitée d'une mélodie de Thomas Moore :

> *Quand le plaisir brille en tes yeux*
> *Pleins de douceur et d'espérance...*

J'échappe à ces amours volages pour raconter mes premières peines. Jamais un mot blessant, un soupir impur, n'avaient souillé l'hommage que je rendais à mes cousines. Héloïse, la première, me fit connaître la douleur. Elle avait pour gouvernante une bonne vieille Italienne qui fut instruite de mon amour. Celle-ci s'entendit avec la servante de mon père pour nous procurer un e entrevue. On me fit descendre en secret dans une chambre où la figure d'Héloïse était représentée par un vaste tableau, Une épingle d'argent perçait le nœud touffu de ses cheveux d'ébène, et son buste étincelait comme celui d'une reine, pailleté de tresses d'or sur un fond de soie et de velours. Éperdu, fou d'ivresse, je m'étais jeté à genoux devant l'image ; une porte s'ouvrit, Héloïse vint à ma rencontre et me regarda d'un œil souriant.

– "Pardon, reine, m'écriai-je, je me croyais le Tasse aux pieds d'Éléonore, ou le tendre Ovide aux pieds de Julie !..."

Elle ne put rien me répondre, et nous restâmes tous deux muets dans une demi-obscurité. Je n'osai lui baiser la main, car mon cœur se serait brisé. – O douleurs et regrets de mes jeunes amours perdues, que vos souvenirs sont cruels ! "Fièvres éteintes de l'âme humaine, pourquoi revenez-vous encore échauffer un cœur qui ne bat plus ?" Héloïse est mariée aujourd'hui ; Fanchette, Sylvie et Adrienne sont à jamais perdues pour moi : – le monde est désert. Peuplé de fantômes aux voix plaintives, il murmure des chants d'amour sur les débris de mon néant ! Revenez pourtant, douces images ! j'ai tant aimé, j'ai tant souffert ! " Un oiseau qui vole dans l'air a dit son secret au bocage, qui l'a redit au vent qui passe, – et les eaux plaintives ont répété le mot suprême : – Amour ! amour !"

Gérard de Nerval (1808-1855). – De son enfance dans le Valois, Gérard de Nerval garda le goût de cette campagne aimable, mais il fut également sensible au mystère du romantisme germanique. Sa raison s'égara peu à peu. Il mit fin à ses jours. Il a laissé des poèmes mystérieux, pleins de visions fantastiques, qui sont parmi les plus beaux jamais écrits en notre langue (*Les Chimères*, 1854).

PASSIONNÉMENT

Je l'aime un peu, beaucoup, passionnément,
Un peu c'est rare et beaucoup tout le temps.
Passionnément est dans tout mouvement :
Il est caché sous cet : *un peu*, bien sage
Et dans : *beaucoup* il bat sous mon corsage.
Passionnément ne dort pas davantage
Que mon amour aux pieds de mon amant
Et que ma lèvre en baisant son visage.

Louise de Vilmorin
(1902-1969). –
Amie de Saint-
Exupéry,
intimement liée
à la fin de sa vie
à André Malraux,
elle écrivit des
récits élégants
et délicats. Son
œuvre poétique
(*Fiançailles pour
rire*, 1939; *Le Sable
du sablier*, 1945;
*L'Alphabet des
aveux*, 1954) a
la légèreté, la grâce
amère, la musicalité
d'un sourire où
l'ironie s'efface
sous la mélancolie.

Une froideur secrètement brûlante
Brûle mon corps, mon esprit, ma raison,
Comme la poix anime le tison
Par une ardeur lentement violente.

Mon cœur tiré d'une force alléchante
Dessous le joug d'une franche prison,
Boit à longs traits l'aigre-douce poison,
Qui tous mes sens heureusement enchante.

Le premier feu de mon moindre plaisir
Fait haleter mon altéré désir :
Puis de nos cœurs la céleste Androgyne

Plus saintement vous oblige ma foi :
Car j'aime tant cela que j'imagine,
Que je ne puis aimer ce que je vois.

Joachim du Bellay (1522-1560). – Le gentilhomme aurait dû faire carrière dans les armes ou dans la diplomatie. Mais un jour il rencontre Ronsard. Il publie en 1548 le manifeste de la Pléiade, *Défense et illustration de la langue française.* La Pléiade réunissait les talents neufs de l'époque de la Renaissance.

PLAISIR D'AMOUR

Plaisir d'amour ne dure qu'un moment,
Chagrin d'amour dure toute la vie.

J'ai tout quitté pour l'ingrate Sylvie,
Elle me quitte et prend un autre amant...

Plaisir d'amour ne dure qu'un moment,
Chagrin d'amour dure toute la vie.

Tant que cette eau coulera doucement
Vers ce ruisseau qui borde la prairie,
Je t'aimerai, me répétait Sylvie ;
L'eau coule encore, elle a changé pourtant !

Plaisir d'amour ne dure qu'un moment,
Chagrin d'amour dure toute la vie.

Jean-Pierre Claris
de Florian (1755-
1794). – Petit-
neveu de Voltaire,
il fit dans son
enfance de
nombreux séjours
à Ferney. Capitaine
de dragons, il fut
plus poète que
soldat, écrivit des
comédies, un
poème biblique
et des *Fables*,
publiées en 1792.

AUX ROCHERS

Devant ces arbres purs, ces ciels lourds de fantômes
Nous avons contemplé tant de soleils couchants...
Crois-moi, ferme ton âme aux murmures des hommes
Ils n'atteindront jamais au silence des champs

Écoute. C'est la voix solennelle des sources,
Le songe du sommeil immobile et des eaux
Jusqu'au vol impérieux et clair de la Grande Ourse
Et la mélancolie subite des crapauds.

Quand notre amour s'exalte et s'ouvre jusqu'à l'aube,
Quand la terre s'efface et rentre dans ses bruits,
Lorsque dans tes grands yeux s'étoile toute l'ombre,
Sur tes lèvres je bois les rosées de la nuit.

Maurice Fombeure

Maurice
Fombeure
(1906-1981). –
Ce professeur de
lettres, d'origine
provinciale, après
un détour du côté
des surréalistes,
a retrouvé le goût
des choses vraies,
celles du terroir,
mais sans jamais
sacrifier son amour
des jeux de mots,
du cocasse et
de la pureté de
la langue.

LUMIÈRES

à Jeanine et Francis Crémieux

Ce n'est pas vrai
Que tout amour décline,

Ce n'est pas vrai
Qu'il nous donne au malheur,

Ce n'est pas vrai
Qu'il nous mène au regret,

Quand nous voyons à deux
La rue vers l'avenir.

Ce n'est pas vrai
Que tout amour dérive,

Quand les forces qui montent
Ont besoin de nos forces,

Ce n'est pas vrai
Que tout amour pourrit,

Quand nous mettons à deux
Notre force à l'attaque.

Ce n'est pas vrai
Que tout amour s'effrite,

Quand le plus grand combat
Va donner la victoire.

Ce n'est pas vrai du tout,
Ce qu'on dit de l'amour,

Quand la même colère
A pris les deux qui s'aiment,

Quand ils font de leurs jours
Avec les jours de tous
Un amour et sa joie.

Eugène Guillevic
(1907-1997). –
Né breton et breton
d'âme, cet ancien
fonctionnaire,
démiurge et sorcier
en poésie,
interpelle les lieux
et les formes de
la nature et traduit
leur étrange silence
en mots qui font
écho.

ABÎME DE L'AMOUR

Air : *La Jeune Iris* ; ou *Les Folies d'Espagne*

Depuis longtems j'ai perdu connoissance ;
Dans un gouffre je me vis abîmer ;
Je ne puis plus supporter la science ;
Heureux mon cœur, si tu sais bien aimer.

Perdu, plongé dans des eaux ténébreuses,
Je ne vois rien, et je ne veux rien voir ;
Mes ténèbres sont des nuits amoureuses ;
Je ne connois mon bien ni mon espoir.

Dans ce profond d'amour inexplicable,
On m'élève bien au-dessus de moi ;
C'est un nuage obscur, invariable,
Où l'ame ne voit qu'une sombre foi.

C'est un brouillard plus clair que la lumière ;
Je ne puis exprimer sa sombre nuit :
On ne dessille jamais la paupiere ;
Dedans ce lieu l'on n'entend aucun bruit.

Ces ténèbres où règne le silence,
Font le bonheur de ce cœur amoureux ;
Tout consiste dedans la patience,
Qu'exerce ici cet amant généreux.

Jeanne Guyon
(1648-1717).
Cette mystique
rencontra, en 1688,
Fénelon, qu'elle
ouvrit au "pur
amour". Mais en
butte à l'hostilité
de Bossuet, elle vit
ses œuvres
condamnées et fut
emprisonnée à la
Bastille. Elle écrivit
une œuvre
abondante,
comprenant
notamment vingt
volumes de
*Commentaires
mystiques* sur
la Bible !

1ER *JUILLET* 1971

Pour N.

Lorsque ta main est là
Dans ma paume fermée

Lorsque ton pas résonne
A côté de mon pas

Lorsque la nuit abat
Notre double fatigue

Lorsque l'aube salue
Notre vie étoilée

Lorsque j'entends ta voix
Qui traverse les arbres

Je sais que tout est dit
Et le temps s'abolit.

Georges Jean
(né en 1920). –
Poète – couronné
notamment par
le prix François
Villon –, il a
également publié
des essais
littéraires et
pédagogiques,
des anthologies
et un dictionnaire
insolite, *Le Livre
des mots.*

BAISE M'ENCOR...

Baise m'encor, rebaise-moi et baise :
Donne-m'en un de tes plus savoureux,
Donne-m'en un de tes plus amoureux ;
Je t'en rendrai quatre plus chauds que braise.

Las, te plains-tu ? Ça que ce mal j'apaise,
En t'en donnant dix autres doucereux
Ainsi mêlant nos baisers tant heureux
Jouissons-nous l'un de l'autre à notre aise.

Lors double vie à chacun en suivra
Chacun en soi et son ami vivra.
Permets m'Amour penser quelque folie :

Toujours suis mal, vivant discrètement,
Et ne me puis donner contentement,
Si hors de moi, ne fais quelque saillie[1].

Louise Labé (1526-1566). — Connue sous le surnom de "la Belle Cordière", elle fut considérée comme une des femmes les plus lettrées de son temps — elle connaissait le latin et le grec — et fit partie du groupe de poètes appelés l'École de Lyon. On dit qu'elle s'engagea même, sous le pseudonyme de "Capitaine Loys", dans les armées du roi. La fortune de son mari, Ennemond Perrin, lui permit de constituer une riche bibliothèque. Elle composa vingt-quatre sonnets et un drame intitulé *Débat de la folie et de l'amour*, imprimé à Lyon en 1556.

1. *élan.*

DESSEIN DE QUITTER UNE DAME QUI NE LE CONTENTAIT QUE DE PROMESSES

Beauté, mon beau souci, de qui l'âme incertaine
A comme l'océan son flux et son reflux,
Pensez de vous résoudre à soulager ma peine,
Ou je me dois résoudre à ne le souffrir plus.

Vos yeux ont des appâts que j'aime et que je prise
Et qui peuvent beaucoup dessus ma liberté ;
Mais pour me retenir, s'ils font cas de ma prise,
Il leur faut de l'amour autant que de beauté.

Quand je pense être au point que cela s'accomplisse
Quelque excuse toujours en empêche l'effet :
C'est la toile sans fin de la femme d'Ulysse,
Dont l'ouvrage du soir au matin se défait.

Madame, avisez-y, vous perdrez votre gloire
De me l'avoir promis, et vous rire de moi.
S'il ne vous en souvient, vous manquez de mémoire
Et s'il vous en souvient, vous n'avez point de foi.

François de Malherbe (1555-1628). − Poète de cour, il condamna avec vigueur la poésie de ses prédécesseurs et contribua à fonder la doctrine classique faite de clarté, de rigueur et d'ordre. Mais il est aussi l'auteur de poésies amoureuses longtemps méconnues.

J'avais toujours fait conte, aimant chose si haute,
De ne m'en séparer qu'avecque le trépas ;
S'il arrive autrement, ce sera votre faute,
De faire des serments, et ne les tenir pas.

SONNET

Ô si chère de loin et proche et blanche, si
Délicieusement toi, Mary, que je songe
A quelque baume rare émané par mensonge
Sur aucun bouquetier de cristal obscurci

Le sais-tu, oui ! pour moi voici des ans, voici
Toujours que ton sourire éblouissant prolonge
La même rose avec son bel été qui plonge
Dans autrefois et puis dans le futur aussi.

Mon cœur qui dans les nuits parfois cherche à s'entendre
Ou de quel dernier mot t'appeler le plus tendre
S'exalte en celui rien que chuchoté de sœur

N'était, très grand trésor et tête si petite,
Que tu m'enseignes bien toute une autre douceur
Tout bas par le baiser seul dans tes cheveux dite.

Stéphane Mallarmé (1842-1898). – Très influencé à ses débuts par Baudelaire, Mallarmé, pour vivre, fut professeur d'anglais. Hanté par le vertige de la page blanche, et par le Livre absolu, il entreprit de redonner leur sens aux mots de la tribu. C'est parce qu'il utilise les mots dans leur sens littéral, radical et non figuré que sa poésie donne cette impression d'étrangeté et de jamais vu. Une tentative unique dans la littérature.

CHANSON X

Je suis aymé de la plus belle,
Qui soit vivant dessoubz les Cieulx.
Encontre tous faulx Envieulx
Je la soustiendray estre telle.

Si Cupido doulx et rebelle
Avoit desbendé ses deux yeux,
Pour veoir son maintien gracieux,
Je croy qu'amoureux seroit d'elle.

Venus, la Deesse immortelle,
Tu as faict mon cueur bien heureux
De l'avoir faict estre amoureux
D'une si noble Damoyselle.

Avant 1532

Clément Marot (1496-1544). –
Il vivait en des temps tourmentés. Après avoir été au service de Marguerite, future reine de Navarre, sœur de François Ier, il fut poursuivi pour ses opinions religieuses en faveur de la Réforme. Il dut se réfugier en Italie. Il fut un poète aimable, habile, entre l'esprit du Moyen Âge et celui de la Pléiade. Ses principales œuvres furent réunies en 1538. On lui doit de remarquables adaptations des Psaumes (1543).

AMOUR

je   elle
  elle   je
nous nous
nous
nous nous
elle   je
je   elle
je

Jean-Claude Martin. — Très jeune poète contemporain qui exprime dans des poèmes, en général très courts, des émotions à la fois pudiques et sensuelles.

Toi avec ta douceur confuse, et moi engourdi par la force,

nous avons dormi côte à côte comme deux serpents sous la
même écorce ;

mon âme a dormi avec toi et t'a aimée sans un mot.

Toi, si petite, toi, l'amie de toutes les choses petites de la terre,

et moi qui, si j'étais monté dans la plus haute des plus hautes
sphères,

m'y sentirais encore captif et voudrais monter plus haut,

nous avons été mêlés comme la rive et la rivière,

nous avons été mêlés comme le cygne et l'eau.

Et maintenant, d'autres que moi pourront boire
à cette tête chère.

D'autres hommes feront, tels les vents constellés,

leurs souffles sur ton corps dormant comme
sur une campagne tranquille.

D'autres hommes entreront en toi, avec
leurs faces de damnés.

Je te garderai dans mes bras, et tu y seras
éternellement immobile.

Henry de
Montherlant
(1895-1972). −
Ses premières
œuvres retracent
sa jeunesse
catholique, son
expérience de la
guerre, son goût
du sport. On a trop
souvent oublié que
le romancier acide
des *Jeunes Filles*,
l'auteur dramatique
célébrant
constamment un
idéal de vie
héroïque, était
également un poète.

VALE

La grande amour que vous m'aviez donnée
Le vent des jours a rompu ses rayons –
Où fut la flamme, où fut la destinée
Où nous étions, où par la main serrée
   Nous nous tenions

Notre soleil, dont l'ardeur fut pensée
L'orbe pour nous de l'être sans second
Le second ciel d'une âme divisée
Le double exil où le double se fond

Son lieu pour vous apparaît cendre et crainte,
Vos yeux vers lui ne l'ont pas reconnu
L'astre enchanté qui portait hors d'atteinte
L'extrême instant de notre seule étreinte
   Vers l'inconnu.

Mais le futur dont vous attendez vivre
Est moins présent que le bien disparu.
Toute vendange à la fin qu'il vous livre
Vous la boirez sans pouvoir être qu'ivre
   Du vin perdu.

J'ai retrouvé le céleste et sauvage
Le paradis où l'angoisse est désir.
Le haut passé qui grandit d'âge en âge
Il est mon corps et sera mon partage
   Après mourir.

Catherine Pozzi (1882-1934). – Elle grandit dans l'atmosphère du Tout-Paris aristocratique et bourgeois de la fin du XIXe siècle. Atteinte très tôt de tuberculose, elle étudia avec acharnement l'histoire de la philosophie et des religions, les mathématiques et les sciences tout en tenant son monumental *Journal*. En 1920, elle rencontra Paul Valéry; ce furent huit années d'une liaison passionnée, clandestine et douloureuse. Ses poèmes ne furent publiés qu'après sa mort, ainsi qu'un essai philosophique inachevé, *Peau d'Ame*.

Quand dans un corps ma délice oubliée
Où fut ton nom, prendra forme de cœur
Je revivrai notre grande journée,
Et cette amour que je t'avais donnée
        Pour la douleur.

CCCCIV

Maurice Scève
(1501-1560). –
Il eut pour la
poétesse Pernette
du Guillet une
passion
malheureuse ; en
souvenir d'elle,
il écrivit *Délie, objet
de plus haute vertu*
(1544), une suite de
dizains.Cette œuvre
longtemps passée
sous silence est un
des sommets de la
poésie française.

Tant plus je veulx d'elle me souvenir,
Plus à mon mal, maulgré moy, je consens.
Que j'aurois cher (s'il debvoit advenir)
Que la douleur m'osta plus tost le sens
Que la memoire, où reposer je sens
Le nom de celle, Amour, où tu regnois
Lors qu'au besoing tu me circonvenois,
Tant qu'à la perdre à présent je souhaicte.
Car si en rien je ne m'en souvenois,
Je ne pourrois sentir douleur parfaicte.

HISTOIRE D'AMOUR

Je te retrouve sur mes sentiers comme au premier jour, tache rouge d'un manteau sous les frondaisons d'un parc.

Le temps a coulé sous les arbres. J'ai aimé le pays de tes yeux. Ta main dans la mienne nous avons libéré la peur.

Entre tes seins je regarde le soleil se briser sur un mur blanc au lit duquel bat une source secrète.

Éblouissante douceur du silence.

Joseph Paul Schneider (né en 1940). – Poète du Pays des Lisières, il peint avec simplicité et émerveillement les visages, les regards, les émotions.

QUAND J'ENTRERAI POUR TOI

Quand j'entrerai pour toi dans mon métier de veuve
J'aurai ces vêtements aux longs plis assemblés,
La démarche sans peur qui porte cette preuve
Qu'un corps souvent étreint a cessé de trembler.

J'aurai le pas d'épouse et le ventre des mères
Où le tablier bleu fait de beaux plis profonds,
Mes cheveux blancs seront la couronne sévère
Que tes doigts amaigris ont posée sur mon front.

Je serai la fermière épaisse qui assume
La tâche d'accomplir l'ordre de chaque jour,
J'aurai perdu l'enfant, les soucis, la coutume
De préparer le pain et le lit et l'amour.

J'irai dans le jardin tondre l'herbe légère
Je taillerai la rose et l'arbre du verger
Je te raconterai aux bêtes familières
Mon flanc se creusera, le soir, pour te chercher.

Près du feu partagé, j'allumerai la lampe
Et nous nous parlerons de la paix de mes jours
Je deviendrai pour toi, la tranquille flamande
Qui met des volets verts à son dernier amour.

Andrée Sodenkamp (née en 1906). – Poète belge d'expression française, elle exprime, dans une forme classique, l'amour et la beauté de la vie quotidienne.

GEORGIA

Je ne dors pas Georgia
Je lance des flèches dans la nuit Georgia
J'attends Georgia
Je pense Georgia
Le feu est dans la neige Georgia
La nuit est ma voisine Georgia
J'écoute les bruits tous sans exception
   Georgia
Je vois la fumée qui monte et qui fuit Georgia
Je marche à pas de loup dans l'ombre Georgia
Je cours voici la rue les faubourgs Georgia
Voici une ville qui est la même
Et que je ne connais pas Georgia
Je me hâte voici le vent Georgia
Et le froid et le silence et la peur Georgia
Je fuis Georgia
Je cours Georgia
Les nuages sont bas ils vont tomber Georgia
J'étends les bras Georgia
Je ne ferme pas les yeux Georgia
J'appelle Georgia
Je crie Georgia
Je l'appelle Georgia
Est-ce que tu viendras Georgia
Bientôt Georgia
Georgia
Je ne dors pas Georgia
Je t'attends
Georgia

Philippe Soupault (1897-1990). – Né dans une famille de la grande bourgeoisie, il participe au mouvement surréaliste (il sera un des "quatre mousquetaires") et écrit, en collaboration avec André Breton, *Les Champs magnétiques* (1921). Possédé par la passion du mouvement, "il voyage, parfois pour fuir, mais en zigzag". Il s'est efforcé de donner à ses poèmes une fluidité caractéristique et un rythme rappelant parfois celui de ces chants africains qu'il fut un des premiers à découvrir à Paris. Il a publié, depuis 1913 (*Le Bon Apôtre*) de nombreux romans (*Les Frères Durandeau*, 1924...), des recueils de poèmes (*Rose des vents*, 1920...) et plusieurs livres de souvenirs.

II

Le Tremble est blanc

Le temps irrévocable a fui. L'heure s'achève.
Mais toi, quand tu reviens, et traverses mon rêve,
Tes bras sont plus frais que le jour qui se lève,
        Tes yeux plus clairs.

A travers le passé ma mémoire t'embrasse.
Te voici. Tu descends en courant la terrasse
Odorante, et tes faibles pas s'embarrassent
        Parmi les fleurs.

Par un après-midi de l'automne, au mirage
De ce tremble inconstant que varient les nuages,
Ah ! verrai-je encor se farder ton visage
        D'ombre et de soleil ?

Paul-Jean Toulet
(1867-1920). –
Il s'établit à Paris
en 1898 et se lia
avec le musicien
Claude Debussy.
Journaliste, il publia
romans et poèmes
dans diverses
revues. Ils seront
rassemblés en
volume après
sa mort, en 1921
(*Contrerimes*).

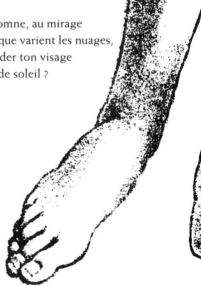

LES PAS

Tes pas, enfant de mon silence,
Saintement, lentement placés,
Vers le lit de ma vigilance
Procèdent muets et glacés.

Personne pure, ombre divine,
Qu'ils sont doux, tes pas retenus !
Dieux !... tous les dons que je devine
Viennent à moi sur ces pieds nus !

Si de tes lèvres avancées,
Tu prépares pour l'apaiser,
A l'habitant de mes pensées
La nourriture d'un baiser,

Ne hâte pas cet acte tendre
Douceur d'être et de n'être pas,
Car j'ai vécu de vous attendre
Et mon cœur n'était que vos pas.

Paul Valéry (1871-1945). – Né a Sète, très tôt lié avec Mallarmé, Heredia, Gide, Debussy, il fit néanmoins des études de droit. Installé à Paris en 1894, après avoir travaillé au ministère de la Guerre, il devient le secrétaire particulier d'un administrateur de l'agence Havas. Sa poésie est rigoureuse, à la fois solaire et sensuelle. Elle montre que l'on peut atteindre le plus parfait lyrisme par la voie de l'intelligence.

Paul Valéry

NEVERMORE

Souvenir, souvenir, que me veux-tu ? L'automne
Faisait voler la grive à travers l'air atone,
Et le soleil dardait un rayon monotone
Sur le bois jaunissant où la bise détone.

Nous étions seul à seule et marchions en rêvant,
Elle et moi, les cheveux et la pensée au vent.
Soudain, tournant vers moi son regard émouvant :
"Quel fut ton plus beau jour ?" fit sa voix d'or vivant,

Sa voix douce et sonore, au frais timbre angélique.
Un sourire discret lui donna la réplique,
Et je baisai sa main blanche, dévotement.

– Ah ! les premières fleurs, qu'elles sont parfumées !
Et qu'il bruit avec un murmure charmant
Le premier *oui* qui sort de lèvres bien-aimées !

Paul Verlaine (1844-1896). – Né à Metz, il publia ses premiers poèmes dans la revue du *Parnasse contemporain* (1863) et la revue du *Progrès*. Il se lia avec Banville, Baudelaire, Hugo et publia ses *Poèmes saturniens* en 1866. Puis il se maria en 1870 et rédigea *La Bonne Chanson*. C'est alors qu'il

reçut les premiers poèmes d'un certain Rimbaud et que commença leur folle aventure, vie commune, voyages, séparation, querelles. Condamné à deux ans de prison pour avoir tenté de tuer Arthur Rimbaud de deux coups de revolver, il se convertit, composa *Romance sans paroles* et *Sagesse*. Il tenta, à sa libération, de se réhabiliter socialement mais sombra rapidement dans la misère et l'alcoolisme, malgré son succès.

Geneviève, dit l'amoureux,

Geneviève jeune fille arrachée aux vents et à la pierre du chemin,
que sont quelques paroles au prix de ce dur labeur, de cette quête
passionnée sous des cieux nouveau-nés, de château en château, au
travers des contrées les plus sombres, les plus hostiles, jusqu'à
l'extrême limite des sauvages désirs,
que sont quelques mots que la pudeur étrangle pour construire un
amour plus fort, plus pur que le granit.

Nos regards ne se rencontrent plus qu'avec peine.
Nos mains demeurent fermées, crispées, mortes.
Je ne peux plus crier ton nom, simplement, dans le silence
    de l'aube.
En toi en ton corps découvert dépouillé
Je veux allumer des incendies multiples, durables enfin, t'abîmer
de la sorte jusqu'à la braise.
Je veux lire ton désir et laver tes yeux de toute couleur étrangère
    à l'amour.
Lumineuse je te veux comme la flamme de l'éclair.

Jean-Claude
Walter (né en
1940). – Ce poète
secret réussit
comme personne
à intérioriser
totalement le
monde sur lequel
il jette pourtant
un regard
perçant. Il a publié
notamment *Le
Sismographe
appliqué* (1966).

QU'UN AMI VÉRITABLE
EST UNE DOUCE CHOSE...

Au demeurant, ce que nous appellons ordinairement amis et amitiez, ce ne sont qu'accoinctances et familiaritez nouées par quelque occasion ou commodité, par le moyen de laquelle nos ames s'entretiennent. En l'amitié dequoy je parle, elles se meslent et confondent l'une en l'autre, d'un melange si universel, qu'elles effacent et ne retrouvent plus la couture qui les a jointes. Si on me presse de dire pourquoy je l'aymois, je sens que cela ne se peut exprimer, qu'en respondant : Par ce que c'estoit luy ; par ce que c'estoit moy.

Michel de Montaigne (1553-1592). – On pourra s'étonner de rencontrer Montaigne parmi les poètes. Pourtant les méandres de sa merveilleuse "conversation" s'adressent autant à l'imaginaire qu'à la raison.

L'AMITIÉ

Qu'est-ce qui passe ici si tard ?
Un chemin creux n'est pas un boulevard !

C'est un ami des temps anciens
Voyageur seul et sans bagage

Femme prépare les vins fins
Les liqueurs des chaussons de feutre

Ne viens pour boire ni manger
Mais pour parler des années douces

Max Jacob retour de Quimper
Le chat roux le quai de la Fosse

Fosse au passé fosse au remords
Ne te dérange pas si tu dors !

Et pour qui me dérangerais-je
Sinon pour vous Amis les Anges ?

Les salles tristes du collège
Mais les dimanches sous les pins !

Je te retrouve après quinze ans
Mon lointain mon parent trop rare

Faut-il que tu passes si tard
Dans le corridor du destin !

René-Guy Cadou
(1920-1951). –
Instituteur et
poète, il choisit
de vivre à la
campagne, sur les
rives de la Loire –
afin de chanter
la vie, la chaleur
humaine, la saveur
des jours et des
nuits, celle de
l'amitié et celle
de l'amour.

À UNE CAMARADE

Que me veux-tu donc, femme trois fois fille ?...
Moi qui te croyais un si bon enfant !
– De l'amour ?... – Allons : cherche, apporte, pille !
M'aimer aussi, toi !... moi qui t'aimais tant.

Oh ! je t'aimais comme... un lézard qui pèle
Aime le rayon qui cuit son sommeil...
L'Amour entre nous vient battre de l'aile :
– Eh ! qu'il s'ôte de devant mon soleil !

Mon amour, à moi, n'aime pas qu'on l'aime ;
Mendiant, il a peur d'être écouté...
C'est un lazzarone enfin, un bohème,
Déjeunant de jeûne et de liberté.

– Curiosité, bibelot, bricole ?...
C'est possible : il est rare – et c'est son bien –
Mais un bibelot cassé se recolle ;
Et lui, décollé, ne vaudra plus rien !...

Va, n'enfonçons pas la porte entr'ouverte
Sur un paradis déjà trop rendu !
Et gardons à la pomme, jadis verte,
Sa peau, sous son fard de fruit défendu.

Que nous sommes-nous donc fait l'un à l'autre ?...
– Rien... – Peut-être alors que c'est pour cela ;
– Quel a commencé ? – Pas moi, bon apôtre !
Après, quel dira : c'est donc tout – voilà !

– Tous les deux, sans doute... – Et toi, sois bien sûre
Que c'est encor moi le plus attrapé :
Car si, par erreur, ou par aventure,
Tu ne me trompais... je serais trompé !

Appelons cela : *l'amitié calmée*;
Puisque l'amour veut mettre son holà.
N'y croyons pas trop, chère mal-aimée...
– C'est toujours trop vrai ces mensonges-là !

Nous pourrons, au moins, ne pas nous maudire
– Si ça t'est égal – le quart d'heure après.
Si nous en mourons – ce sera de rire...
Moi qui l'aimais tant ton rire si frais !

Tristan Corbière
(1845-1875). –
Mort à trente ans,
l'auteur du recueil
Les Amours jaunes
(1873) est sans
doute l'un des
poètes les plus
méconnus de notre
littérature. Il eut
une vie difficile,
totalement
solitaire. Atteint
de rhumatismes,
il ne put jamais
devenir le marin,
l'aventurier, qu'il
rêvait d'être. Il se
réfugia dans les
livres, la dérision.

UN AMI

Ce cher bonheur que j'abrite
Entre mes deux mains crispées,
Est-ce donc lui, frère étrange
Que tu ne peux pardonner ?

Est-ce l'amour qui me hante,
Est-ce la femme, l'enfant,
Ou ce chant comme une flamme
Qui dure dans l'ouragan ?

Ou le souffle qui m'entraîne
Vers mes montagnes promises,
Ou ces traces misérables
Que je laisse dans la grève ?

Ou quoi ? Le sais-tu, mon frère ?
Ô mon ami, mon fardeau !
Toi, la blessure vivante
Au flanc de toute la joie !

Dis-moi, chère âme farouche
Élue entre les témoins :
Pour que jamais ton sourire
M'éclaire sans désaveu.

Que faut-il que je t'immole ?
Que dois-je, de tout moi-même,
Apporter devant ton seuil
Comme une biche égorgée ?

Georges Duhamel (1884-1966). – Célèbre grâce à ses romans et à ses essais, Georges Duhamel a fait partie du groupe littéraire de l'Abbaye où il publia *Des légendes, des batailles*, en 1907. Il écrivit aussi, en collaboration avec Charles Vildrac, des *Notes sur la technique poétique* (1909). Il a publié également *L'Homme en tête* (1909), *Les Compagnons* (1912), *Élégies* (1920).

Picasso mon ami dément
Mon ami sage hors frontières
Il n'y a rien sur notre terre
Qui ne soit plus pur que ton nom

J'aime à le dire j'aime à dire
Que tous tes gestes sont signés
Car à partir de là les hommes
Sont justifiés à leur grandeur

Et leur grandeur est différente
Et leur grandeur est tout égale
Elle se tient sur le pavé
Elle se tient sur leurs désirs

Paul Éluard (1895-1952). – Il participa à toutes les aventures poétiques du siècle : Dada, le surréalisme... En 1927, il adhéra au parti communiste et s'engagea dès 1933 dans la lutte contre le fascisme. Après la défaite de 1940, il entra dans la Résistance et écrivit alors le poème *Liberté*. Son œuvre est considérable : citons, parmi les recueils les plus connus : *Capitale de la douleur* (1926), *L'Amour la poésie* (1929), *Les Yeux fertiles* (1936).

TENDRESSE HUMAINE...
(FRAGMENT)

Tendresse humaine, adhésion de l'homme à l'homme,
Ô joie de nous sentir des cœurs contemporains
Et de multiplier nos esprits l'un par l'autre.

Parce qu'on nous a conçus tous la même année,
Une secrète entente est vivante entre nous,
Quelque chose de fort relie nos jeunes fronts
Comme le joug relie ceux des bœufs accouplés.
Comme eux, nous nous mouvons d'un effort solidaire,
Comme eux, d'un poids égal nous pesons sur le sol.

L'air où sonnent nos voix, où monte notre rire,
A notre âge, et est né en même temps que nous ;
Parce que nous avons grandi tous à la fois,
Chacun de nous exprime et entend tous les autres ;
Chacun de nous comprend d'emblée et sans effort,
Ce que ne comprend pas ce grand vieillard lucide...

Des fils souples, brillants comme les fils de la Vierge,
Au matin de nos vies sont tendus entre nous…

Nous regardions grandir en nous notre vie neuve,
Mais la voilà, mûrie, qui veut se dépenser.
C'est nous qui, maintenant, devons courir le risque,
C'est nous qui, maintenant devons lancer le disque,
C'est notre violon qui doit mener le bal ;
Nous cherchons un chantier pour y faire un travail.

La génération que nous formons ensemble,
Est massive et ailée comme un essaim d'abeilles.
A quel arbre pendra sa grappe bourdonnante,
Et quel sera le goût de notre nouveau miel ?

Henri Franck
(1886-1911). –
Il est surtout connu
pour un seul
recueil, La Danse
devant l'Arche.
Sa poésie le
rapproche de
l'École unanimiste.

A Paul Eluard
in memoriam

La nuit
s'est cachée dans la nuit
de ta mort
L'étoile répète l'étoile
et la terre a notre voix

L'aurore est sans visage
Nous lui donnerons le tien
pour aimer et mourir

La nuit
s'est cachée dans la nuit
des idylles
Midi rira sur les pierres
à qui tu ressembles déjà
et nous graverons en elles
ton nom beau feuillage

En elles
et dans le vent qui les berce en vain
ton nom vertes mailles
d'où émerge l'oiseau
engourdi de sommeil

Tu avais cru perdre les mots
en leur ouvrant l'espace
L'hiver ils réchauffaient ton cœur
de la fidélité de leurs ailes

Les mots
et les trésors que tu y as découverts
avec tes doigts d'homme

Ce sont eux qui nous rapprochent
quand ils nous reconnaissent

L'arbre dépouillé l'herbe humide
sont seuls à témoigner de l'orage
au premier rayon du soleil

Nos cicatrices sont dans nos yeux
Le temps lourdes paupières
ne nous rendra pas aveugles

Edmond Jabès (1912-1991). – Poète égyptien d'expression française, il a poursuivi une quête à la fois littéraire et religieuse pour tenter de trouver "le livre absolu". Son œuvre poétique est contenue dans le recueil *Je bâtis ma demeure* et dans les six volumes du *Livre des questions*, publiés de 1963 à 1979.

POÈME SENTIMENTAL

Ô port de rivière et de verdures sombres. Il a passé le long du quai de pierres, le canot chargé de mes amis, un seul m'a tendu une main affectueuse. J'ai des amis de quoi peupler de fourmis cette montagne, de quoi peupler de trirèmes un océan et de rameurs. Ô port de rivière et de verdures sombres ! le canot n'en portait pas dix, ils étaient cachés sous la voile qui protège les plus délicats, ils étaient protégés contre moi. Un seul m'a tendu une main affectueuse et ce n'est pas celui que j'ai préféré, c'est celui que j'oublie volontiers.

Max Jacob (1876-1944). — Né à Quimper, Jacob fut très lié à Picasso, Apollinaire, Salmon. Converti au christianisme, en 1915, il se retira près de l'abbaye de Saint-Benoît-sur-Loire.
La guerre devait le contraindre au silence. Arrêté le 24 février 1944 par la Gestapo, Max Jacob mourut au camp de Drancy, le 5 mars de la même année.

J'AI DÉJEUNÉ CHEZ UN AMI...

J'ai déjeuné chez un ami. Des camélias
commencent à jaunir le mur de sa villa.
Voilà longtemps que nous nous connaissons. Déjà
le printemps trop hâtif fleurit le leycestria
sous lequel, en Été, nous causons lui et moi.

Sous l'aigre vent de pluie les carcasses des arbres
agaçaient mes regards qui désiraient revoir
les feuilles de Juillet à la mollesse bleue.

Peut-être que, l'Été, sous le leycestria,
nos cœurs regretteront cet après-midi noir
qui nous a fait longtemps rester au coin du feu.

Francis Jammes
(1868-1938). –
Né à Tournay
(Hautes-Pyrénées),
il exerça la
profession de clerc
de notaire avant
de se consacrer
à la poésie.
Converti au
catholicisme,
sa poésie perd
alors son aspect
douloureux et
nostalgique et
prend un caractère
paisible, reflet
d'une vie retirée.
Il a publié, entre
autres recueils, *De
l'Angélus de l'aube
à l'Angélus du soir*
(1898) et *Le Deuil
des primevères*
(1899).

LES DEUX AMIS

Deux vrais amis vivaient au Monomotapa :
L'un ne possédait rien qui n'appartînt à l'autre.
 Les amis de ce pays-là
 Valent bien, dit-on, ceux du nôtre.
Une nuit que chacun s'occupait au sommeil,
Et mettait à profit l'absence du soleil,
Un de nos deux amis sort du lit en alarme ;
Il court chez son intime, éveille les valets :
Morphée avait touché le seuil de ce palais.
L'ami couché s'étonne, il prend sa bourse, il s'arme ;
Vient trouver l'autre, et dit : "Il vous arrive peu
De courir quand on dort ; vous me paraissiez homme
A mieux user du temps destiné pour le somme.
N'auriez-vous point perdu tout votre argent au jeu ?
En voici. S'il vous est venu quelque querelle,
J'ai mon épée, allons. Vous ennuyez-vous point
De coucher toujours seul ? Une esclave assez belle
Était à mes côtés : voulez-vous qu'on l'appelle ?
– Non, dit l'ami, ce n'est ni l'un ni l'autre point :
 Je vous rends grâce de ce zèle.

Vous m'êtes en dormant un peu triste apparu ;
J'ai craint qu'il ne fût vrai, je suis vite accouru.
    Ce maudit songe en est la cause."
Qui d'eux aimait le mieux ? que t'en semble, lecteur ?
Cette difficulté vaut bien qu'on la propose.
Qu'un ami véritable est une douce chose !
Il cherche vos besoins au fond de votre cœur ;
    Il vous épargne la pudeur
    De les lui découvrir vous-même.
    Un songe, un rien, tout lui fait peur
    Quand il s'agit de ce qu'il aime.

Jean de La Fontaine (1621-1695). – Hésitant beaucoup sur sa vocation, il préféra finalement les salons littéraires aux Eaux et Forêts. Il appréciait beaucoup la compagnie de Mme de La Sablière, Mme de La Fayette, celle de Mme de Sévigné. Et pourtant cet observateur minutieux des gens de son temps en fut l'impitoyable peintre. Perspicace, libertin, et prudent quand il le fallait, sa plume n'épargna rien ni personne.

Deux vrais amis vivaient au Monomotapa...
... Jusqu'au jour où l'un vint voir l'autre, et le tapa.

À MON AMI ALFRED T.

Dans mes jours de malheur, Alfred, seul entre mille,
Tu m'es resté fidèle où tant d'autres m'ont fui.
Le bonheur m'a prêté plus d'un lien fragile ;
Mais c'est l'adversité qui m'a fait un ami.

C'est ainsi que les fleurs sur les coteaux fertiles
Étalent au soleil leur vulgaire trésor ;
Mais c'est au sein des nuits, sous des rochers stériles,
Que fouille le mineur qui cherche un rayon d'or.

C'est ainsi que les mers calmes et sans orages
Peuvent d'un flot d'azur bercer le voyageur ;
Mais c'est le vent du nord, c'est le vent des
     naufrages
Qui jette sur la rive une perle au pêcheur.

Maintenant Dieu me garde ! Où vais-je ? Eh !
     que m'importe !
Quels que soient mes destins, je dis comme Byron :
"L'Océan peut gronder, il faudra qu'il me porte."
Si mon coursier s'abat, j'y mettrai l'éperon.

Mais du moins j'aurai pu, frère, quoi qu'il m'arrive,
De mon cachet de deuil sceller notre amitié,
Et, que demain je meure ou que demain je vive,
Pendant que mon cœur bat, t'en donner la moitié.

Mai 1832

Alfred de Musset (1810-1857). – Né à Paris, il fit de brillantes études au lycée Henri-IV et fréquenta chez Charles Nodier les milieux du romantisme français. En 1833, il rencontra George Sand, dont la notoriété littéraire était déjà établie. Leur passion orageuse marqua profondément son œuvre poétique et dramatique.

MES AMIS

Une abeille en toile cirée
demande le silence
une sauterelle un peu blé
vole vers la France
la coccinelle apeurée
veut une revanche
ces insectes sont mes amis
vos gueules tas de tanches

Raymond Queneau (1903–1976). — Né au Havre, surréaliste dès 1924, académicien (Goncourt), philosophe, ami de Vian, cinéphile, romancier, poète, grand décortiqueur de formules mathématiques. Directeur de l'*Encyclopédie de la Pléiade*. Un parcours intellectuel particulièrement brillant. Ce vrai poète sonde les mots, aime leur choc, fouille leurs racines, le tout avec humour.

TENDRESSE

Mon cœur ne bat que par ses ailes
Je ne suis pas plus loin que ma prison
Ô mes amis perdus derrière l'horizon
Ce n'est que votre vie cachée que j'écoute
Il y a le temps roulé sous les plis de la voûte
Et tous les souvenirs passés inaperçus
Il n'y a qu'à saluer le vent qui part vers vous
Qui caressera vos visages
Fermer la porte aux murmures du soir
Et dormir sous la nuit qui étouffe l'espace
Sans penser à partir
Ne jamais vous revoir
Amis enfermés dans la glace
Reflets de mon amour glissés entre les pas
Grimaces du soleil dans les yeux qui s'effacent
Derrière la doublure plus claire des nuages
Ma destinée pétrie de peurs et de mensonges
Mon désir retranché du nombre
Tout ce que j'ai oublié dans l'espoir du matin
Ce que j'ai confié à la prudence de mes mains
Les rêves à peine construits et détruits
Les plus belles ruines des projets sans départs
Sous les lames du temps présent qui nous déciment

Les têtes redressées contre les talus noirs
Grisées par les odeurs du large de la terre
Sous la fougue du vent qui s'ourle
A chaque ligne des tournants
Je n'ai plus assez de lumière
Assez de peau assez de sang
La mort gratte mon front
Et la même matière
S'alourdit vers le soir autour de mon courage
Mais toujours le réveil plus clair dans la flamme
   de ses mirages

Pierre Reverdy
(1889-1960). –
Correcteur
d'imprimerie,
il prenait un soin
extrême à la mise
en page de ses
poèmes. Il se lia
avec les peintres
cubistes et des
poètes comme Max
Jacob et Guillaume
Apollinaire.
Converti à la
religion catholique,
il s'installa en 1926
près de l'abbaye
de Solesmes. Son
œuvre poétique fut
rassemblée en 1945
et 1949 dans deux
recueils : *Plupart
du temps* et
Main-d'œuvre.

MON AMI LE PLUS FIDÈLE

Pouvais-je du fond de ma chambre
Deviner qu'il faisait soleil
Dans l'azur de la mi-décembre
A peine pâli par le froid ?

Une allégresse de Paris
Me traverse comme une brise,
Tandis qu'un carrefour murmure
Trop de promesses à la fois.

Quelle rue, un matin pareil,
Sera mon chemin ou mon but ?
Celle qui porte un pont de fer ?
Celle qui souffle de la brume ?

Ou celle que j'ai vue un soir
Sur la colline de Montmartre,
Si pleine de songe et d'absence
Qu'elle ressemblait à l'exil ?

Je marche. Un sang rapide allume
Quelque lumière dans mon corps,
J'ai des sourires au destin,
Et des libertés avec lui.

Mais que n'es-tu là, ce matin,
Ô mon ami le plus fidèle,
Que nous sentions, un jour encore,
La complaisance de la vie !

Jules Romains
(1885-1972). –
Poète, romancier,
auteur dramatique,
il fit ses études
à l'École normale
supérieure et fut
l'un des fondateurs
du groupe de
l'Abbaye dont
La Vie unanime
(1908) est le
manifeste. L'auteur
du court et parfait
Knock est aussi
celui des vingt-sept
volumes de
l'immense fresque
des *Hommes de
bonne volonté*.

LA COMPLAINTE RUTEBEUF

(…) Les maux ne savent seuls venir :
Tout ce qui pouvait m'advenir
    Est advenu.
Que sont mes amis devenus,
Que j'avais de si près tenus
    Et tant aimés ?
Je crois qu'ils sont trop clair semés :
Ils ne furent pas bien semés,
    Point n'ont levé.
De tels amis m'ont bien trahi,
Que, tant que Dieu m'a assailli
    De tous côtés,
N'en vis un seul en ma maison.
Le vent, je crois, les m'a ôtés :
    L'amour est morte.
Ce sont amis que vent emporte,
Et il ventait devant ma porte :
    Sont emportés. (…)

Rutebeuf (vers 1230-vers 1285). – Ce trouvère parisien, plus enclin à railler noblesse et clergé qu'à chanter l'amour courtois, est sans doute le premier de nos poètes lyriques.

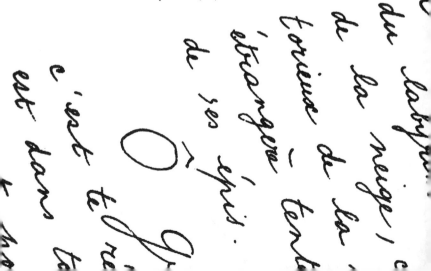

AFFRES, DÉTONATION, SILENCE

Le Moulin du Calavon. Deux années durant, une ferme de cigales, un château de martinets. Ici tout parlait torrent, tantôt par le rire, tantôt par les poings de la jeunesse. Aujourd'hui, le vieux réfractaire faiblit au milieu de ses pierres, la plupart mortes de gel, de solitude et de chaleur. A leur tour les présages se sont assoupis dans le silence des fleurs.

Roger Bernard : l'horizon des monstres était trop proche de sa terre.

Ne cherchez pas dans la montagne ; mais si, à quelques kilomètres de là, dans les gorges d'Oppedette, vous rencontrez la foudre au visage d'écolier, allez à elle, oh, allez à elle et souriez-lui car elle doit avoir faim, faim d'amitié.

Hymne à L'Hellade

s'élanceront à l'intelligence de l'intelligence perpétuel, c'est... de volcans sourd... de vol nu...

LES AMIS INCONNUS

Il vous naît un poisson qui se met à tourner
Tout de suite au plus noir d'une lame profonde,
Il vous naît une étoile au-dessus de la tête,
Elle voudrait chanter mais ne peut faire mieux
Que ses sœurs de la nuit les étoiles muettes.

Il vous naît un oiseau dans la force de l'âge,
En plein vol, et cachant votre histoire en son cœur
Puisqu'il n'a que son cri d'oiseau pour la montrer.
Il vole sur les bois, se choisit une branche
Et s'y pose, on dirait qu'elle est comme les autres.

Où courent-ils ainsi ces lièvres, ces belettes,
Il n'est pas de chasseur encor dans la contrée,
Et quelle peur les hante et les fait se hâter,
L'écureuil qui devient feuille et bois dans sa fuite,
La biche et le chevreuil soudain déconcertés ?

Il vous naît un ami, et voilà qu'il vous cherche
Il ne connaîtra pas votre nom ni vos yeux
Mais il faudra qu'il soit touché comme les autres
Et loge dans son cœur d'étranges battements
Qui lui viennent de jours qu'il n'aura pas vécus.

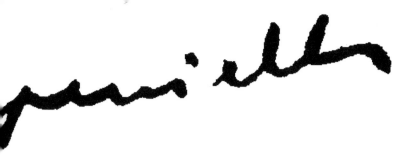

Et vous, que faites-vous, ô visage troublé,
Par ces brusques passants, ces bêtes, ces oiseaux,
Vous qui vous demandez, vous, toujours sans nouvelles
"Si je croise jamais un des amis lointains
Au mal que je lui fis vais-je le reconnaître ?"

Pardon pour vous, pardon pour eux, pour le silence
Et les mots inconsidérés,
Pour les phrases venant de lèvres inconnues
Qui vous touchent de loin comme balles perdues,
Et pardon pour les fronts qui semblent oublieux.

Jules Supervielle
(1884-1960). –
Sa vie fut partagée
entre l'Amérique
du Sud, Oloron et
Paris.Lié au groupe
des écrivains de
la Nouvelle Revue
Française, il écrivit
des récits (*L'Enfant
de la haute mer*,
1931) des pièces
de théâtre et des
recueils de poésie.

VIENS À LA CAMPAGNE AVEC MOI

Immeuble en construction avec des branches sèches comme
    des araignées dans les échafaudages
Dresse-toi vers le ciel en toute sérénité
Jusqu'à ce que les nuages te servent de rideaux
Et que les étoiles imitent la satisfaction des lampes sur les
    balcons pleins de nuit.

Entre deux marronniers chargés comme les gens qui sortent
    de l'hôpital
Le cimetière juif a poussé parmi les pierres ;
Au-delà de la ville, sur la colline
Comme des vers se traînent les tombeaux.

Le dog-cart jaune nous attend devant la gare
En moi se cassent des roseaux avec un bruit de papier froissé
Je voudrais lentement disparaître au long du pays
Et voir mon âme hésiter comme le danseur sur sa corde.

Errent dans les bois
Des mendiants tziganes à la barbe de cendre
Et l'on a peur quand on les croise
A l'heure où le soleil frotte sa paupière contre les sentiers.

Nous irons à cheval des journées entières,
Nous ferons halte dans des auberges grises,
Là on lie beaucoup d'amitiés
Et la nuit on couche avec la fille de l'aubergiste.

Sous les noyers – où passe le vent lourd comme un jardin de fontaines
Nous jouerons aux échecs
Ainsi que deux vieux pharmaciens
Et ma sœur lira les journaux dans le hamac.

Nous nous mettrons tout nus sur la colline
Pour que le prêtre se scandalise et que les filles se réjouissent
Nous nous promènerons comme les agriculteurs
   avec de grands chapeaux de paille
Nous nous baignerons près de la roue du moulin
Nous nous étendrons sans gêne au soleil
On nous volera les habits
Et les chiens aboieront après nous.

Tristan Tzara
(1896-1963). –
Roumain d'origine,
fondateur du
mouvement dada
en 1916, il s'installe
à Paris en 1919.
Il est de ces jeunes
gens en colère qui
après la Première
Guerre mondiale
"dynamitent"
les diverses
représentations
du monde et n'en
restituent qu'un
portrait éclaté.
Une réaction
contre tous les
conformismes,
une invention
poétique originale.

L'amitié est justification d'un hasard passé. On s'est rencontrés.
Ce fait devient peu à peu providentiel.
Ce qui né d'un hasard réussit heureusement béatifie ce hasard
le divinise.

LE BOIS AMICAL

Nous avons pensé des choses pures
Côte à côte, le long des chemins,
Nous nous sommes tenus par les mains
Sans dire... parmi les fleurs obscures ;

Nous marchions comme des fiancés
Seuls, dans la nuit verte des prairies ;
Nous partagions ce fruit de féeries
La lune amicale aux insensés

Et puis, nous sommes morts sur la mousse,
Très loin, tout seuls parmi l'ombre douce
De ce bois intime et murmurant ;

Et là-haut, dans la lumière immense,
Nous nous sommes trouvés en pleurant
Ô mon cher compagnon de silence !

UNE AMITIÉ

Parmi tes richesses d'esprit et de cœur
Et celles que moi j'ai en partage,
Quelques-unes sont très dissemblables
Et les autres sont parentes un peu.

Mais elles se plaisent bien ensemble,
Toutes tes richesses, toutes mes richesses;
Mais nous nous aimons à cause d'elles.

Elles se complètent et se font valoir,
Elles se mêlent et se contrôlent;
C'est comme différents feuillages
Assemblés dans un bouquet d'arbres,
Ou le rapprochement de deux visages
Que parent cheveux blonds et cheveux noirs.

Il y a aussi chez toi et chez moi,
Comme chez tous, des choses qui manquent :
C'est telle variété de plante
Que je n'ai pas dans mon jardin,
Ou c'est telle arme pour la lutte
Que tu ne sens pas sous ta main;

Or il advient toujours, pour notre bonheur,
Que moi je dispose de cette arme,
Que tu es tout fleuri, toi, de ces fleurs
Et que nous entrons sans façon l'un chez l'autre
Pour prendre ce dont nous avons besoin.

Tu connais bien mes indigences
Et la façon de mes faiblesses ;
Elles vont à toi sans pudeur,
Tu les accueilles et les aimes ;
Et aussi bien j'aime les tiennes
Qui font partie de ta valeur
Et sont la rançon de tes forces.

Enfin chacun de nous, ô mon ami,
Marche et peut marcher avec assurance
A cause d'une main qui, vigilante,
Au moindre péril, se lève et saisit
Le bras égaré de cet aveugle
Que je deviens et que tu deviens,
Comme tous, à certaines heures...

Charles Vildrac
(1882-1970). –
L'un des fondateurs
du groupe de
l'Abbaye où avec
Romains, Duhamel,
Chennevière,
quelques poètes
fondaient
l'unanimisme.
Son œuvre la plus
achevée reste
Le Livre d'amour.

L'HABITUDE

Au bord de la table
celui-là qui fait jouer
la limaille et l'aimant
n'entend plus l'océan
battre les schistes.
Au plafond pendent
les haricots qui sèchent
les murs blancs de chaux
laissent aller leurs insectes
des gens qui se croisent
voudraient retrouver
l'habitude d'aimer.

Jean Follain (1903-
1971). — Avocat,
puis magistrat, il
publia ses premiers
poèmes dans la
revue *Sagesse*
(1927) puis son
premier recueil,
La Main chaude
(1933). Sa poésie
s'enracine dans
la nature et dans
les choses de la vie
quotidienne, dans
lesquelles, pour lui,
se cache le mystère
du monde.

AMOUREUX TRANSIS

L'ami disait en pleurant
Est-ce ivresse, est-ce bonté ?
Est-ce que j'ai trop fumé ?
La clarté me fait trembler.
Voudrais-tu me consoler ?
Notre amie est trop jolie.
(Toutes ce divin sourire,
La pauvre et celle trop née
Et surtout l'infortunée.)
Ainsi fîmes-nous l'éloge
De la bien-aimée

Et voici
Brusquement
L'on s'avisa d'être heureux.
On allait tous deux.
Mon ami riait.
Les pauvres soldats,
Le soleil sacré,
Tout cela m'irait.
Le jet d'eau triste
Au fin stylet,

L'oiseau du kiosque
Au square bleu,
Ce qui s'endort
Au bois joli,
Au bois tremblant
Bientôt l'église
Va célébrer.

C'étaient des égards...
On saluait Dieu.
Pour avoir goûté
La chère douceur
La chère douceur
D'être amoureux...

Léon-Paul Fargue
(1876-1947). –
Ce "piéton de
Paris" a laissé une
œuvre poétique
baroque et cocasse
savoureuse et
tendre, chargée
d'une émotion qui
confine souvent
au tragique.

AMI CADOU

Tu m'avais entraîné par un grand jour de lune
Au travers des prairies, des villages, des bois.
De hideux cris d'enfants, parfois, stridaient des herbes :
On étranglait la nuit dans la gorge d'un chat.

Un matin de vent pur, de soleil en médaille
Vint durcir nos souliers rongés par les brouillards.
Nous eûmes, peu après, les jambes sous la table
En un lieu qui sentait le terrier de renard.

La lumière tremblait, âcre vin blanc d'auberge
Sur les forêts pelées d'où nous étions sortis.
A nos pieds, le lait cuit versait sur les flammèches
Et nous coupions le pain comme un gros gâteau gris.

Luc Bérimont
(1915-1983). –
D'origine
ardennaise,
journaliste,
homme de radio,
producteur,
dénicheur de
talents : une vie
consacrée aux
poètes et
à la poésie.

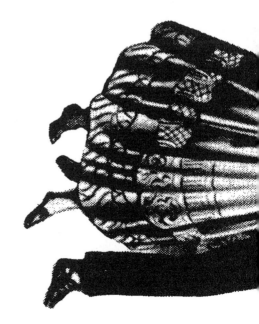

CHANSON POUR L'AUVERGNAT

Elle est à toi cette chanson
Toi l'Auvergnat qui sans façon
M'as donné quatre bouts de bois
Quand dans ma vie il faisait froid
Toi qui m'as donné du feu quand
Les croquantes et les croquants
Tous les gens bien intentionnés
M'avaient fermé la porte au nez
Ce n'était rien qu'un feu de bois
Mais il m'avait chauffé le corps
Et dans mon âme il brûle encore
A la manièr' d'un feu de joie.

Toi l'Auvergnat quand tu mourras
Quand le croqu'mort t'emportera
Qu'il te conduise à travers ciel
      Au père éternel.

Elle est à toi cette chanson
Toi l'hôtesse qui sans façon
M'as donné quatre bouts de pain
Quand dans ma vie il faisait faim
Toi qui m'ouvris ta huche quand
Les croquantes et les croquants
Tous les gens bien intentionnés
S'amusaient à me voir jeûner
Ce n'était rien qu'un peu de pain
Mais il m'avait chauffé le corps
Et dans mon âme il brûle encore
A la manièr' d'un grand festin

Toi l'hôtesse quand tu mourras
Quand le croqu'mort t'emportera
Qu'il te conduise à travers ciel
     Au père éternel.

Elle est à toi cette chanson
Toi l'étranger qui sans façon
D'un air malheureux m'as souri
Lorsque les gendarmes m'ont pris
Toi qui n'as pas applaudi quand
Les croquantes et les croquants
Tous les gens bien intentionnés
Riaient de me voir emmener
Ce n'était rien qu'un peu de miel
Mais il m'avait chauffé le corps
Et dans mon âme il brûle encore
A la manièr' d'un grand soleil

Toi l'étranger quand tu mourras
Quand le croqu'mort t'emportera
Qu'il te conduise à travers ciel
     Au père éternel.

Georges Brassens
(1920-1981). –
Ce moderne
troubadour de
la chanson est, à
coup sûr, un des
plus authentiques
poètes populaires
de notre temps.

À SAINT-LAZARE

C'est de d'la prison que j't'écris,
    Mon pauv' Polyte,
Hier je n'sais pas c'qui m'a pris,
    A la visite ;
C'est des maladi's qui s'voient pas
    Quand ça s'déclare,
N'empêch' qu'aujourd'hui j'suis dans l'tas,
A Saint-Lazare !

Mais pendant c'temps-là, toi, vieux chien,
    Qu'qu'tu vas faire ?
Je n'peux pas t'envoyer rien de rien,
    C'est la misère.
Ici, tout l'monde est décavé,
    La braise est rare ;
Faut trois mois pour faire un linvé,
    A Saint-Lazare.

Vrai, d'te savoir comm'ça, sans l'sou,
    Je m'fais eun'bile !...
T'es capab' de faire un sal' coup,
    J'suis pas tranquille.
T'as trop d'fierté pour ramasser
    Des bouts d'cigare,
Pendant tout l'temps que j'vas passer,
    A Saint-Lazare.

Va-t'en trouver la grand' Nana,
    Dis que j'la prie
D'casquer pour moi, j'y rendrai ça
    A ma sortie.
Surtout n'y fais pas d'boniments,

Pendant qu'je m'marre
Et que j'bois des médicaments,
    A Saint-Lazare.

Et pis, mon p'tit loup, bois pas trop,
    Tu sais qu't'es teigne,
Et qu'quand t'as un p'tit coup d'sirop
    Tu fous la beigne;
Si tu t'faisais coffrer, un soir,
    Dans eun'bagarre,
Ya pus personn' qui viendrait m'voir
    A Saint-Lazare.

J'finis ma lette en t'embrassant,
    Adieu, mon homme,
Malgré qu'tu soy' pas caressant,
    Ah ! j't'ador' comme
J'adorais l'bon Dieu comm'papa,
    Quand j'étais p'tite,
Et qu'jallais communier, à
    Saint'-Marguerite.

Aristide Bruant
(1851-1925). –
Chansonnier et
poète
montmartrois,
il a réuni dans ses
recueils *Dans la Rue*
et *Sur la Route*
des chansons
populaires et des
complaintes
douces-amères.

MOTS ET PAYSAGES
DE L'AMOUR

SUR L'AMOUR

Hélas ! qui nous dira ce que c'est que l'amour ?
Pour moi, faible héron aux serres de vautour,
Je me sens emporté dans le gouffre ou la nue,
Dans l'antre ténébreux ou sur la plage nue,
Je me sens expirer sous son bec assassin,
Qui m'a crevé les yeux ou labouré mon sein,
Et ne sais rien de plus ! – J'ai lu mille mémoires
Qui traitent de l'amour ; j'ai lu mille grimoires
Très doctes et très secs : je ne sais rien de plus
Qu'avant d'avoir veillé sur ces bouquins feuillus.
Au diable ces traités ! Que le diable les lise !
Au diable leur peinture et leur sotte analyse !
Analyser l'amour ?... Oh ! c'est par trop bouffon !
Messieurs les esprits fins, vous vous croyez au fond,
– Vous êtes à côté, vous jetez votre sonde :
Comme un brin de sarment elle flotte sur l'onde,
Puis vous argumentez, puis vous édifiez
Système sur système – et vous bêtifiez !...
L'amour est un secret du ciel insaisissable,
Un arcane fermé pour l'homme, infranchissable.

Pétrus Borel, dit
"le Lycanthrope"
(1809-1859). –
Poète et romancier,
on le range parmi
les petits
romantiques, mais
ses *Rhapsodies*
témoignent d'un
lyrisme étrange et
très original, proche
du surréalisme.

L'AMOUR DU POÈTE

un poète vous aime
et vous donne le droit
d'être le chêne féminin
le fleuve à cent pagodes
la comète en voyage
un poète vous aime
pour vous habituer
à faire quelques pas dans la banlieue
de l'univers que vous seriez
s'il n'était point venu
un poète vous aime
et vous rend responsable
d'une très longue éternité
souples aurores
lacs à poissons volants
un poète vous aime
et tout vous est permis
l'inceste heureux
le sacrilège si sacré
un poète vous tue
pour aimer plus encore
les mots qu'il nourrira de vous

Alain Bosquet (1919-1998). – Né en Ukraine, il vit en Bulgarie puis en Belgique. En 1940, il est incorporé dans l'armée française et part pour les États-Unis en 1941. Il y rencontre André Breton. Il débarque en France en 1944 avec l'armée américaine et finit la guerre dans les ruines de Berlin – expérience dont il restera marqué. De retour à Paris, il publie son premier roman, *La Grande Éclipse* (1951), puis *Langue morte* (1952). Critique littéraire, Alain Bosquet est aussi un des plus grands poètes français contemporains.

LE CHANT D'AMOUR

Voici de quoi est fait le chant symphonique de l'amour

Il y a le chant de l'amour de jadis

Le bruit des baisers éperdus des amants illustres

Les cris d'amour des mortelles violées par les dieux

Les virilités des héros fabuleux érigées comme des pièces
contre avions

Le hurlement précieux de Jason

Le chant mortel du cygne

Et l'hymne victorieux que les premiers rayons du soleil
ont fait chanter à Memnon l'immobile

Il y a le cri des Sabines au moment de l'enlèvement

Il y a aussi les cris d'amour des félins dans
les jongles

La rumeur sourde des sèves montant dans
les plantes tropicales

Le tonnerre des artilleries qui accomplissent
le terrible amour des peuples

Les vagues de la mer où naît la vie et la beauté

Il y a là le chant de tout l'amour du monde

Guillaume Apollinaire (1880-1918). – Ce poète français était le fils d'un Italien et d'une Polonaise ! Précepteur outre-Rhin, il tomba amoureux de la gouvernante anglaise, qui lui inspira *La Chanson du mal-aimé*. Il sillonna l'Europe, puis s'établit à Paris où il se lia avec Picasso, Braque, Matisse et se consacra à la poésie et à la critique d'art. La publication d'*Alcools* (1913) marque le vrai début de la poésie du xxᵉ siècle.

HÔTEL DES ÉTRANGERS

Quel est Amour le nom de mon amour ?
On entre On trouve un lavabo une épingle
A cheveux oubliée au coin
Ou sur le marbre
De la cheminée ou tombée
Dans une raie du parquet
Derrière la commode
Mais son nom Amour quel est le nom de mon amour
Dans la glace ?

Paris, 1917

Blaise Cendrars
(1887-1961). –
Ce grand arpenteur
de la planète,
insatiable
voyageur, a fait
tenir dans des vers
denses et
chaotiques la
splendeur et
la cruauté du siècle
des essieux, des
mécaniques
haletantes et des
couleurs du monde.

MADRIGAL

A René Bizet

Vous n'aimez pas qui vous aime
Ni qui vous saurait aimer
Et ne donnez de vous-même
Que ce que voulez donner.

Moi, qui vous cherche et vous aime
D'un cœur tendre et sans danger,
Je ne vous suis qu'étranger.
Mais, hélas ! l'étrange peine
Que celle qui fait aimer
Sans souci que l'on vous aime !

Francis Carco
(1886-1958). –
Romancier et poète
des mauvais
garçons, membre
de l'école dite
"fantaisiste",
il publia de
nombreux volumes
de poèmes dont
*La Bohème et mon
cœur* (1912) est
resté le modèle.
Un lyrisme un peu
canaille, des vers
habiles, proches
de la chanson,
qui, mis en musique
par Larmanjat,
obtinrent dans les
années 30 un grand
succès populaire.

LES YEUX DES PAUVRES

Ah ! vous voulez savoir pourquoi je vous hais aujourd'hui. Il vous sera sans doute moins facile de le comprendre qu'à moi de vous l'expliquer ; car vous êtes, je crois, le plus bel exemple d'imperméabilité féminine qui se puisse rencontrer.

Nous avions passé ensemble une longue journée qui m'avait paru courte. Nous nous étions bien promis que toutes nos pensées nous seraient communes à l'un et à l'autre, et que nos deux âmes désormais n'en feraient plus qu'une ; – un rêve qui n'a rien d'original, après tout, si ce n'est que, rêvé par tous les hommes, il n'a été réalisé par aucun.

Le soir, un peu fatiguée, vous voulûtes vous asseoir devant un café neuf qui formait le coin d'un boulevard neuf, encore tout plein de gravois et montrant déjà glorieusement ses splendeurs inachevées. Le café étincelait. Le gaz lui-même y déployait toute l'ardeur d'un début, et éclairait de toutes ses forces les murs aveuglants de blancheur, les nappes éblouissantes des miroirs, les ors des baguettes et des corniches, les pages aux joues rebondies traînés par les chiens en laisse, les dames riant au faucon perché sur leur poing, les nymphes et les déesses portant sur leur tête des fruits, des pâtés et du gibier, les Hébés et les Ganymèdes présentant à bras tendu la petite amphore à bavaroises ou l'obélisque bicolore des glaces panachées ; toute l'histoire et toute la mythologie mises au service de la goinfrerie.

Droit devant nous, sur la chaussée, était planté un brave homme d'une quarantaine d'années, au visage fatigué, à la barbe grisonnante, tenant d'une main un petit garçon et portant sur l'autre bras un petit être trop faible pour marcher. Il remplissait l'office de bonne et faisait prendre à ses enfants l'air du soir. Tous en guenilles. Ces trois visages étaient extraordinairement sérieux, et ces six yeux contemplaient fixement le café nouveau avec une admiration égale, mais nuancée diversement par l'âge.

Les yeux du père disaient : "Que c'est beau ! que c'est beau ! on dirait que tout l'or du pauvre monde est venu se porter sur ces murs." – Les yeux du petit garçon : "Que c'est beau ! que c'est beau ! mais c'est une maison où peuvent seuls entrer les gens qui ne sont pas comme nous." – Quant aux yeux du plus petit, ils étaient trop fascinés pour exprimer autre chose qu'une joie stupide et profonde.

Les chansonniers disent que le plaisir rend l'âme bonne et amollit le cœur. La chanson avait raison ce soir-là, relativement à moi. Non seulement j'étais attendri par cette famille d'yeux, mais je me sentais un peu honteux de nos verres et de nos carafes, plus grands que notre soif. Je tournais mes regards vers les vôtres, cher amour, pour y lire *ma* pensée ; je plongeais dans vos yeux si beaux et si bizarrement doux, dans vos yeux verts, habités par le Caprice et inspirés par la Lune, quand vous me dîtes : "Ces gens-là me sont insupportables avec leurs yeux ouverts comme des portes cochères ! Ne pourriez-vous pas prier le maître du café de les éloigner d'ici ?"

Tant il est difficile de s'entendre, mon cher ange, et tant la pensée est incommunicable, même entre gens qui s'aiment !

Charles Baudelaire (1821-1857). – Victor Hugo disait de lui qu'il avait donné à la poésie un "frisson nouveau". La modernité de Baudelaire apparaît non seulement dans ses poèmes *Les Fleurs du mal* (1857), mais également dans ses écrits sur l'art. Une "plaque tournante" entre le romantisme et la poésie contemporaine.

L'amour finira avant que j'aie l'Amour
je le verrai comme d'une prison
on voit les fleurs
si belles
qu'elles ont l'air de marcher
et que les yeux sont en larmes
de se répandre jusqu'à elles.

L'amour finira mais je dirai
qu'une certaine nuit
de drap de paupières de vent et de cigale
je suis entré dans le jour de ton corps.

Je dirai
que j'ai vécu de toi
et que je meurs
en descendant pétale à pétale
l'escalier du souvenir.

Alain Borne
(1915-1962). –
Son premier recueil,
Cicatrices de songe
(1939) lui valut
le prix Saint-Pol-
Roux. Il devint
avocat la même
année. Après sa
démobilisation,
en relation avec
des écrivains
résistants comme
Pierre Seghers,
il continua d'écrire.
Sa poésie, proche
de celle de Paul
Éluard, est
influencée par
le surréalisme.

À LA VIE À L'AMOUR

En ce temps-là l'Europe avait peur de mourir
J'écoutais à Strasbourg mille cloches de Pâques
présent et seul au rendez-vous des souvenirs
On brodait des mouchoirs en point du jour d'attaque
pour tous les voyageurs dont les cœurs pèsent lourd
Et moi je ne pensais qu'à mon amour à mon amour

Qu'il était loin l'enfant de la mélancolie
ô mémoire sur champ d'oiseaux et de soucis
figure de blason pour noblesse abolie
Les corbeaux se faisaient le bec sur les glacis
voltigeurs de la nuit battante de tambours
Et moi je ne pensais qu'à mon amour à mon amour

Boules de gui promesses de bonheur perdu
valet de pique à la retourne adieu mon homme
Ces présages de deuil grâce je n'en peux plus
Les trains roulaient vers l'Est autant de trains fantômes
Les spectres de gala jouaient sur le velours
Et moi je ne pensais qu'à mon amour à mon amour

Des nains de Forêt-Noire au milieu des vitrines
riaient d'être exilés du monde des humains
prêts à juger demain les morts d'après leurs mines
Non ne regardez plus les lignes de vos mains
mes amis pour trouver le destin pris de court
Et laissez-moi rêver à mon amour à mon amour

Paul Gilson (1906-1963). – Critique de cinéma, grand reporter, il assura dès 1946 la direction des services artistiques de la RTF. Poète discret et intense, il allie le romantisme traditionnel au merveilleux du monde moderne.

LA MORT L'AMOUR LA VIE

J'ai cru pouvoir briser la profondeur l'immensité
Par mon chagrin tout nu sans contact sans écho
Je me suis étendu dans ma prison aux portes vierges
Comme un mort raisonnable qui a su mourir
Un mort non couronné sinon de son néant
Je me suis étendu sur les vagues absurdes
Du poison absorbé par amour de la cendre
La solitude m'a semblé plus vive que le sang.

Je voulais désunir la vie
Je voulais partager la mort avec la mort
Rendre mon cœur au vide et le vide à la vie
Tout effacer qu'il n'y ait rien ni vitre ni buée
Ni rien devant ni rien derrière rien entier
J'avais éliminé le glaçon des mains jointes
J'avais éliminé l'hivernale ossature
Du vœu de vivre qui s'annule.

Tu es venue le feu s'est alors ranimé
L'ombre a cédé le froid d'en bas s'est étoilé
Et la terre s'est recouverte
De ta chair claire et je me suis senti léger
Tu es venue la solitude était vaincue
J'avais un guide sur la terre je savais
Me diriger je me savais démesuré
J'avançais je gagnais de l'espace et du temps.

J'allais vers toi j'allais sans fin vers la lumière
La vie avait un corps l'espoir tendait sa voile
Le sommeil ruisselait de rêves et la nuit
Promettait à l'aurore des regards confiants
Les rayons de tes bras entrouvraient le brouillard

Ta bouche était mouillée des premières rosées
Le repos ébloui remplaçait la fatigue.
Et j'adorais l'amour comme à mes premiers jours.

Les champs sont labourés les usines rayonnent
Et le blé fait son nid dans une houle énorme
La moisson la vendange ont des témoins sans nombre
Rien n'est simple ni singulier
La mer est dans les yeux du ciel ou de la nuit
La forêt donne aux arbres la sécurité
Et les murs des maisons ont une peau commune
Et les routes toujours se croisent.

Les hommes sont faits pour s'entendre
Pour se comprendre pour s'aimer
Ont des enfants qui deviendront pères des hommes
Ont des enfants sans feu ni lieu
Qui réinventeront les hommes
Et la nature et leur patrie
Celle de tous les hommes
Celle de tous les temps.

LE CANTIQUE DES CANTIQUES
(EXTRAIT)

A ma jument qu'on attelle aux chars de Pharaon
Je te compare, ô mon amie.
Tes joues sont belles au milieu des colliers,
Ton cou est beau au milieu des rangées de perles.
Nous te ferons des colliers d'or,
Avec des points d'argent.
Tandis que le roi est dans son entourage,
Mon nard exhale son parfum.
Mon bien-aimé est pour moi un bouquet de myrrhe,
Qui repose entre mes seins.
Mon bien-aimé est pour moi une grappe de troène
Des vignes d'En-Guédi.
Que tu es belle, mon amie, que tu es belle !
Tes yeux sont des colombes.
Que tu es beau, mon bien-aimé, que tu es aimable !
Notre lit, c'est la verdure.
Les solives de nos maisons sont des cèdres,
Nos lambris sont des cyprès.

Je suis un narcisse de Saron,
Un lis des vallées.
Comme un lis au milieu des épines,
Telle est mon amie parmi les jeunes filles.
Comme un pommier au milieu des arbres de la forêt,
Tel est mon bien-aimé parmi les jeunes hommes.
J'ai désiré m'asseoir à son ombre,
Et son fruit est doux à mon palais.
Il m'a fait entrer dans la maison du vin ;
Et la bannière qu'il déploie sur moi, c'est l'amour.
Soutenez-moi avec des gâteaux de raisins,
Fortifiez-moi avec des pommes ;
Car je suis malade d'amour.
Que sa main gauche soit sous ma tête,
Et que sa droite m'embrasse !
Je vous en conjure, filles de Jérusalem,
Par les gazelles et les biches des champs,
Ne réveillez pas, ne réveillez pas l'amour,
Avant qu'elle le veuille.

ET S'IL REVENAIT UN JOUR...

Et s'il revenait un jour
   Que faut-il lui dire ?
– Dites-lui qu'on l'attendit
   Jusqu'à s'en mourir...

Et s'il m'interroge encore
   Sans me reconnaître ?
– Parlez-lui comme une sœur,
   Il souffre peut-être...

Et s'il demande où vous êtes
   Que faut-il lui répondre ?
– Donnez-lui mon anneau d'or
   Sans rien lui répondre...

Et s'il veut savoir pourquoi
   La salle est déserte ?
– Montrez-lui la lampe éteinte
   Et la porte ouverte...

Et s'il m'interroge alors
   Sur la dernière heure ?
– Dites-lui que j'ai souri
   De peur qu'il ne pleure.

Maurice **M**aeterlinck (1862-1949). – Auteur dramatique, Maeterlinck écrivit aussi *La Vie des abeilles* (1901), *La Vie des fourmis* (1930). Son *Pelléas et Mélisande* (1892) fut mis en musique par Claude Debussy. Ses poèmes, peu nombreux, très symbolistes, éveillent d'étranges échos (*Les Serres chaudes*, 1889 ; *Douze Chansons*, 1896).

Ô plaignons-nous dans le déchirement de nos amours
Ô plaignons celui qui perd et plaignons ce qui est perdu
Plaignons la perte du plus beau corps jamais à nu
Dont les étreintes ont composé musique si belle !
Plaignons ce qui doit passer sous l'arc sanglant de cette mort
Laissant ses bien-aimés pleurant et lui même péché privé
De la dernière main du dernier baiser peints
Formant au retable des morts une dernière prédelle :
Privé de comprendre même en quoi il se jette au-dehors.

Pierre Jean Jouve (1887-1976). – Critique et romancier, il a élaboré une œuvre poétique riche en symboles, où la psychanalyse a une place importante (*Noces*, 1931; *Sueur de sang*, 1933).

LE SCEPTRE MIROITANT

MOURIR

MOURIR

AMIROIR

MIROIR

Michel Leiris
(1901-1990). –
Poète et
ethnologue, mêlé
au mouvement
surréaliste, Michel
Leiris, accorde une
importance très
grande dans son
œuvre poétique
à l'ambiguïté du
langage et à tout
le travail qu'il
accomplit en nous.
Le principal de son
œuvre poétique
a été publié sous
le titre *Haut Mal*
(1969).

Le sceptre miroitant.

MADAME DE MONTBAZON

> Madame de Montbazon était une fort
> belle créature qui mourut d'amour, cela
> pris à la lettre, l'autre siècle, pour
> le chevalier de la Rue qui ne l'aimait point.
> *Mémoires* (Saint-Simon).

La suivante rangea sur la table de laque un vase
de fleurs et les flambeaux de cire, dont les reflets
moiraient de rouge et de jaune les rideaux de soie
bleue au chevet du lit de la malade.

"Crois-tu, Mariette, qu'il viendra ? – Oh ! dormez,
dormez un peu, madame ! – Oui, je dormirai
bientôt, pour rêver à lui toute l'éternité !"

On entendit quelqu'un monter l'escalier : "Ah !
si c'était lui !" murmura la mourante, en souriant,
le papillon des tombeaux déjà sur les lèvres.

C'était un petit page qui apportait de la part de
la reine, à madame la duchesse, des confitures, des
biscuits et des élixirs, sur un plateau d'argent.

Aloysius Bertrand (1807-1841). – Né en Italie, venu à sept ans en France, il fut toujours un expérimentateur de la langue française, une sorte de précurseur du poème en prose. Le recueil *Gaspard de la nuit* (1842), fantaisie à la manière de Rembrandt et de Callot, est un pur chef-d'œuvre reconnu de Sainte-Beuve à André Breton.

"Ah ! il ne vient pas, dit-elle d'une voix défaillante, il ne viendra pas ! Mariette, donne-moi une de ces fleurs, que je la respire et la baise pour l'amour de lui !"

Alors madame de Montbazon, fermant les yeux, demeura immobile. Elle était morte d'amour, rendant son âme dans le parfum d'une jacinthe.

NÉÆRE

Mais telle qu'à sa mort pour la dernière fois
Un beau cygne soupire, et de sa douce voix,
De sa voix qui bientôt lui doit être ravie,
Chante, avant de partir, ses adieux à la vie,
Ainsi, les yeux remplis de langueur et de mort,
Pâle, elle ouvrit sa bouche en un dernier effort :

"Ô vous, du Sébethus Naïades vagabondes,
Coupez sur mon tombeau vos chevelures blondes.
Adieu, mon Clinias ; moi, celle qui te plus,
Moi, celle qui t'aimai, que tu ne verras plus.
Ô cieux, ô terre, ô mer, prés, montagnes, rivages,
Fleurs, bois mélodieux, vallons, grottes sauvages,
Rappelez-lui souvent, rappelez-lui toujours
Néære, tout son bien, Néære ses amours,
Cette Néære, hélas ! qu'il nommait sa Néære,
Qui pour lui criminelle abandonna sa mère ;
Qui pour lui fugitive, errant de lieux en lieux,
Aux regards des humains n'osa lever les yeux.
Ô ! soit que l'astre pur des deux frères d'Hélène
Calme sous ton vaisseau la vague ionienne ;
Soit qu'aux bords de Poestum, sous ta soigneuse main,
Les roses deux fois l'an couronnent ton jardin,
Au coucher du soleil, si ton âme attendrie
Tombe en une muette et molle rêverie,
Alors, mon Clinias, appelle, appelle-moi.
Je viendrai, Clinias, je volerai vers toi.
Mon âme vagabonde à travers le feuillage
Frémira. Sur les vents ou sur quelque nuage
Tu la verras descendre, ou du sein de la mer,

S'élevant comme un songe, étinceler dans l'air ;
Et ma voix, toujours tendre et doucement plaintive,
Caresser en fuyant ton oreille attentive."

André Chénier
(1762-1794). –
Favorable aux idées
nouvelles qui
menèrent à la
Révolution de 1789,
André Chénier
n'en accepta pas
la violence et
la dénonça
publiquement.
Il fut guillotiné
deux jours avant
la chute de
Robespierre. Ses
poèmes furent
publiés en 1819,
bien après sa mort.
Inspirée par
l'Antiquité aussi
bien que par la
science, sa poésie
est tantôt tendre
tantôt satirique :
ce grand poète
assure la transition
du classicisme
au romantisme.

PLAINTES DE VÉNUS
SUR LE CORPS D'ADONIS

(...)
Après mille sanglots enfin elle s'écrie :
"Mon amour n'a donc pu te faire aimer la vie !
Tu me quittes cruel ! Au moins ouvre les yeux,
Montre-toi plus sensible à mes tristes adieux;
Vois de quelles douleurs ton amante est atteinte !
Hélas ! j'ai beau crier : il est sourd à ma plainte.
Une éternelle nuit l'oblige à me quitter :
Mes pleurs ni mes soupirs ne peuvent l'arrêter.
Encor si je pouvais le suivre en ces lieux sombres !
Que ne m'est-il permis d'errer parmi les ombres !
Destins, si vous vouliez le voir si tôt périr,
Fallait-il m'obliger à ne jamais mourir ?
Malheureuse Vénus, que te servent ces larmes ?
Vante-toi maintenant du pouvoir de tes charmes :
Ils n'ont pu du trépas exempter tes amours;
Tu vois qu'ils n'ont pu même en prolonger les jours.

Je ne demandais pas que la Parque cruelle
Prît à filer leur trame une peine éternelle ;
Bien loin que mon pouvoir l'empêchât de finir,
Je demande un moment, et ne puis l'obtenir.
(...)

Et vous antres cachés, favorables retraites,
Où nos cœurs ont goûté des douceurs si secrètes,
Grottes qui tant de fois avez vu mon amant
Me raconter des yeux son fidèle tourment,
Lieux amis du repos, demeures solitaires,
Qui d'un trésor si rare étiez dépositaires.
Déserts, rendez-le-moi : deviez-vous avec lui
Nourrir chez vous le monstre auteur de mon
    ennui ?
Vous ne répondez point. Adieu donc, ô belle âme ;
Emporte chez les morts ce baiser tout de flamme :
Je ne te verrai plus ; adieu, cher Adonis !"
(...)

VIE ET MORT CONFONDUES

I

Vie et mort confondues vienne la nuit de soie
sans échancrures sans déchirures sans coutures
nous dénudant pour mieux nous revêtir

pour mieux nous délivrer que l'ombre nous emmure
vienne la nuit des nuits (que la lumière soit)

II

plus je te trouve plus
je te cherche (je n'ai d'autre écriture
que mon désir de toi) plus je coule plus je brûle
(il n'est d'aussi profondes gorges) plus je sombre
(ô crypte éblouissante) plus je surplombe
– tu es le toit du monde

Vahé Godel (né en 1931). – Ce poète suisse d'expression française, d'origine arménienne tente de "concilier les préoccupations profondes de l'âme avec un appareil d'images propres au monde moderne".

LE CONDAMNÉ À MORT
(EXTRAIT)

A Maurice Pilorge, assassin de vingt ans

(...)
Sur mon cou sans armure et sans haine, mon cou
Que ma main plus légère et grave qu'une veuve
Effleure sous mon col, sans que ton cœur s'émeuve,
Laisse tes dents poser leur sourire de loup.

Ô viens mon beau soleil, ô viens ma nuit d'Espagne,
Arrive dans mes yeux qui seront morts demain.
Arrive, ouvre ma porte, apporte-moi ta main,
Mène-moi loin d'ici battre notre campagne.

Le ciel peut s'éveiller, les étoiles fleurir,
Ni les fleurs soupirer, et des prés l'herbe noire
Accueillir la rosée où le matin va boire,
Le clocher peut sonner : moi seul je vais mourir.

Ô viens mon ciel de rose, ô ma corbeille blonde !
Visite dans sa nuit ton condamné à mort.
Arrache-toi la chair, tue, escalade, mords,
Mais viens ! Pose ta joue contre ma tête ronde.

Nous n'avions pas fini de nous parler d'amour.
Nous n'avions pas fini de fumer nos gitanes.
On peut se demander pourquoi les Cours condamnent
Un assassin si beau qu'il fait pâlir le jour.

Amour viens sur ma bouche ! Amour ouvre tes portes !
Traverse les couloirs, descends, marche léger,
Vole dans l'escalier plus souple qu'un berger,
Plus soutenu par l'air qu'un vol de feuilles mortes.

Ô traverse les murs ; s'il le faut marche au bord
Des toits, des océans ; couvre-toi de lumière,
Use de la menace, use de la prière,
Mais viens, ô ma frégate, une heure avant ma mort.
(..)

*

Où sans vieillir je meurs je t'aime ô ma prison.
La vie de moi s'écoule à la mort enlacée.
Leur valse lente et lourde à l'envers est dansée
Chacune dévidant sa sublime raison
    L'une à l'autre opposée.

J'ai trop de place encor ce n'est pas mon tombeau
Trop grande est ma cellule et pure ma fenêtre.
Dans la nuit prénatale attendant de renaître
Je me laisse vivant par un signe plus haut
    De la Mort reconnaître.

Une aurore joyeuse éclate dans mon œil
Pareille au matin clair qu'un tapis sur les dalles
Pour étouffer ta marche à travers les dédales
Des couloirs suffoqués l'on posa de ton seuil
    Aux portes matinales.

Jean Genet (1910-1986). – Romancier, auteur dramatique, ses poèmes d'une facture classique (*Le Condamné à mort*, 1942; *Poèmes*, 1948) magnifient la solitude tragique des marginaux essentiels.

SOIR

La lumière agonise et meurt à tes genoux.
Viens, ô toi dont le front impénétrable et doux
Porte l'accablement des pesantes années :
Douloureuse et les traits mortellement pâlis,
Viens, sans autre parfum dans ta robe à longs plis
Que le souffle des fleurs depuis longtemps fanées.

Viens, sans fard à ta lèvre où brûle mon désir,
Sans anneaux, – le rubis, l'opale et le saphir
Déshonorent tes doigts laiteux comme la lune, –
Et bannis de tes yeux les reflets du miroir...
Voici l'heure très simple et très chaste du soir
Où la couleur oppresse, où le luxe importune.

Délivre ton chagrin du sourire éternel,
Exhale ta souffrance en un sincère appel ;
Les choses d'autrefois, si cruelles et folles,
Laissons-les au silence, au lointain, à la mort...
Dans le rêve qui sait consoler de l'effort,
Oublions cette fièvre ancienne des paroles.

Renée Vivien
(1877-1909). –
Poétesse anglaise
d'expression
française, elle vécut
presque toute sa
vie en France.
Amie de Colette
et de Natalie
Clifford-Barney,
elle publia de
nombreux recueils
(*Dans un coin de
violettes*, 1907 ;
*Le Vent des
vaisseaux*, 1910)
où s'exprime une
sensualité lyrique
et désespérée.

LE DIALOGUE NOCTURNE

– Toute la nuit d'étoiles est sur le promontoire. Viens ! Nous aurons assez d'étoiles pour nous deux. Serre bien, sur ton cou, ton voile au vent du soir. Vois comme sous nos pas les ajoncs sont frileux.

– Tircis ! J'ai peur ! le soir ne s'est point étoilé : le ciel est vert encore... – Il est rose, Néère. Toutes les roses du monde s'effeuillent sur la mer. Et c'est là ce couchant dont je t'ai tant parlé.

Viens, là, viens ; penche-toi. Penche ton doux visage. Il faut qu'il soit toujours innocent et curieux. Serre bien, sur ton cou, ton voile et sois très sage : toute la mer, ainsi, je la vois dans tes yeux.

Un rayon rose unit la lune à son image, et déjà Cythérée
frileuse est sur la mer et le soleil couchant glace son coquillage.
Un vol d'étoiles monte de l'écume légère.

Le vol des goélands, déjà, se fait plus humble. Suis les étoiles,
vite ! et laisse les oiseaux. Laisse l'eau de tes yeux réfléchir le ciel
simple. Ton regard est si pur et ton front est si beau.

Toute la nuit d'étoiles est sur le promontoire. — Oui ! je la
sens !... j'ai peur ! Tout entière, dis-tu ? Qui bouge autour de nous ?
n'as-tu pas entendu ? — Les ajoncs sont frileux, Néère, au vent
du soir.

— Écoute ! c'est un bruit qui monte de la mer, qui monte et passe
avec les étoiles sur nous. — C'est le bourdonnement de l'essaim,
ma Néère. Les astres ont des ailes ; que leur passage est doux !

La mer, en respirant tant de feux amoureux, vit tout le
firmament, et l'image oubliée de la lune n'est plus que le choc
brusque et bleu d'une épée musicale sur un clair bouclier.

Avec le firmament l'eau semble graviter ; un agile dauphin joue
dans la Voie lactée ; les méduses, levant leurs bleus myosotis,
se mêlent aux Cheveux dorés de Bérénice.

— Comme nos yeux rapprochent les îles au lointain et,
doucement, les choquent !... Ah ! les grands blocs de perles !
ils chantent. Et leurs rochers, couleur de tourterelle, ont des
roucoulements de se frôler soudain.

N'est-ce point leur murmure, qui, venu de si loin, répand
cette musique divine sur la Grèce ? — Non, ce n'est pas un rêve,
et Cythérée veut bien que les îles s'entr'aiment à tes yeux,
ma maîtresse.

– Je ne vois plus la mer, quand tu m'as embrassée. – La mer est dans tes yeux, mes lèvres sont mouillées. Amie, ô penche-toi, laisse ton doux visage, innocemment ainsi, me cacher ce nuage.

Ton haleine embaumée me dit tous ses secrets. N'est-ce point qu'elle parle ? Tes lèvres entrouvertes confient leurs douces lignes au ciel venu plus près, et je vois s'y glisser une étoile distraite.

Deux étoiles, à présent, soupirent dans tes cils... Ne dis pas : "Ce sont mes yeux !" petite Néère. Je connais leur ardeur et je sais des mystères. Vois. Toutes les étoiles entourent ton profil.

Chasse-les, ma Néère, elles sont infidèles ! Je sens trembler la nuit d'étoiles à tes genoux. Courons au milieu d'elles, courons au milieu d'elles !... Car je suis ton berger, et je serais jaloux.

Viens, rentrons ! Plus de ciel ! Je le sais, tout est sombre... Non, non, laisse-moi voir encore sur ce mur, là, dans la lumière de lune – ta figure – la regarder encore avant le tournant d'ombre.

Paul Fort
(1872-1960). –
Né à Reims.
Passionné d'art
dramatique, il crée,
à Paris, le théâtre
d'Art, futur théâtre
de l'Œuvre.
Ses premières
Ballades françaises
paraissent en 1896.
Il est élu Prince
des Poètes en 1912.

(...) "Ame de mon amante, âme belle, grande, immense, religieuse, expressive, toute d'amour, toute de Dieu, comme tu coules en mon âme, si j'ai une âme, moi, car on est tenté de croire que toi seule aies toutes les âmes. Tes pensées sont plus pures que la rosée sur la feuille verte, plus vastes que le monde, aussi suaves qu'un baiser de mère. Ta voix tantôt est scintillante comme les étoiles du Levant, tantôt, triste comme le souvenir d'un doux passé ; tantôt, énergique comme un peuple qui veut du pain, – puis rêveuse comme un œil bleu. Cœur de mon amante Dieu te bénit, heureux que tu es ! Dieu est en toi. Toi, c'est Dieu qui dit : Les jours sont-ils assez brillants pour t'éclairer ?

Non, c'est toi qui éclaires les jours.

C'est toi qui rends chaud le soleil ; il ne le serait pas tant si tu ne le voyais pas.

Les fleurs n'auraient point d'odeur si tu ne venais les respirer.

Les nuits ne seraient pas aussi soupirantes, si tu ne les écoutais pas.

La lune ne montrerait pas un aussi bel argent, si tes yeux ne le polissaient.

Les eaux ne seraient pas aussi fraîches et aussi bercées, si tu ne foulais pas l'herbe qui les flatte.

Le gosier des oiseaux mignons ne serait pas aussi mélancolique, si tu n'agitais par ton passage les feuilles où ils se cachent.

Ame de mon amante, âme belle, grande, immense, religieuse, expressive, toute d'amour, toute de Dieu, comme tu coules en mon âme, si j'ai une âme, moi, car on est tenté de croire que toi seule aies toutes les âmes..."

Et la lune donnait et la rosée tombait

Xavier Forneret (1809-1884). – Poète excentrique, lié aux Romantiques, très admiré de Raymond Queneau.

FIGURE DE RÊVE
SÉQUENCE

La très chère aux yeux clairs apparaît sous la lune,
Sous la lune éphémère et mère des beaux rêves.
La lumière bleuie par les brumes cendrait
D'une poussière aérienne
Son front fleuri d'étoiles, et sa légère chevelure
Flottait dans l'air derrière ses pas légers :
La chimère dormait au fond de ses prunelles.
Sur la chair nue et frêle de son cou,
Les stellaires sourires d'un rosaire de perles
Étageaient les reflets de leurs pâles éclairs. Ses poignets
Avaient des bracelets tout pareils ; et sa tête,
La couronne incrustée des sept pierres mystiques
Dont les flammes transpercent le cœur comme des glaives
Sous la lune éphémère et mère des beaux rêves.

Sixtine

Rémy de Gourmont
(1858-1915). –
Cet écrivain raffiné
et cultivé, dans
la mouvance du
symbolisme dont
il fut le critique
avisé, travaillait
à la Bibliothèque
nationale ; il fut
révoqué après
la publication d'un
article intitulé
*Le Joujou
patriotique*.
La fin de sa vie fut
difficile. Ses poèmes
sont savants
et sensuels
(*Hiéroglyphes*, 1894 ;
*Les Oraisons
mauvaises*, 1900...).
Il fut aussi l'un
des créateurs du
Mercure de France.

Je n'aime pas dormir quand ta figure habite,
La nuit, contre mon cou ;
Car je pense à la mort laquelle vient si vite
Nous endormir beaucoup.

Je mourrai, tu vivras et c'est ce qui m'éveille !
Est-il une autre peur ?
Un jour ne plus entendre auprès de mon oreille
Ton haleine et ton cœur.

Quoi, ce timide oiseau, replié par le songe
Déserterait son nid,
Son nid d'où notre corps à deux têtes s'allonge
Par quatre pieds fini.

Puisse durer toujours une si grande joie
Qui cesse le matin,
Et dont l'ange chargé de construire ma voie
Allège mon destin.

Léger, je suis léger sous cette tête lourde
Qui semble de mon bloc,
Et reste en mon abri, muette, aveugle, sourde,
Malgré le chant du coq.

Cette tête coupée, allée en d'autres mondes,
Où règne une autre loi,
Plongeant dans le sommeil des racines profondes
Loin de moi, près de moi.

Ah ! je voudrais, gardant ton profil sur ma gorge,
Par ta bouche qui dort
Entendre de tes seins la délicate forge
Souffler jusqu'à ma mort.

Jean Cocteau
(1892-1963). –
"Magicien de
l'esprit moderne",
poète, romancier,
dessinateur,
dramaturge,
cinéaste, Cocteau
a laissé une trace
inoubliable dans
la poésie française.
Car la gravité de ce
funambule apparaît
aujourd'hui dans
toute sa force.

JE RÊVAIS DE TOUCHER...

Je rêvais de toucher la tristesse du monde
au bord désenchanté d'un étrange marais
je rêvais d'une eau lourde où je retrouverais
les chemins égarés de ta bouche profonde

j'ai senti dans mes mains un animal immonde
échappé à la nuit d'une affreuse forêt
et je vis que c'était le mal dont tu mourais
que j'appelle en riant la tristesse du monde

une lumière folle un éclat de tonnerre
un rire libérant ta longue nudité
une immense splendeur enfin m'illuminèrent

et je vis ta douleur comme une charité
rayonnant dans la nuit la longue forme claire
et le cri de tombeau de ton infinité.

Georges Bataille (1897-1962). – Ancien élève de l'École des chartes, bibliothécaire, Georges Bataille a également dirigé la revue *Documents* et fondé la revue *Critique*. Proche du surréalisme, il est l'auteur d'une œuvre étrange, violemment érotique, souvent morbide, imprégnée de la fascination de la mort et du néant.

À L'AUBE

Je ne te demande rien. C'est une affaire de puissance, d'emprise
   magique sur le vent, la pluie, les phénomènes célestes qui
   commandent à la sérénité de ton visage.
Je ne t'ai jamais touchée. Je ne connais pas la forme de ta main.
   Je n'ai jamais vu la veine bleue enroulée autour de ton bras.
   Je ne la verrai pas.
Je ne sais de toi que ce que tu en ignores : ton éternité,
   ta jeunesse.
Tu es autre, toujours autre avec le jour et chaque jour
   je te rencontre sans te reconnaître, toi que je cherche
   sans te trouver.
Le jour est une chance d'apparaître. Sait-on jamais ?
La vie est merveilleuse à l'aube. Nos désirs vont jouer
   leurs chances.
Entre nous s'éveillent les arbres miraculeusement pleins de sang.

Jean Malrieu (1915-
1975). – Poète
austère et fervent,
ce chantre occitan
appelait à la "levée
en masse" des
poètes, contre
l'absurdité des
temps et la mort.
Son principal recueil
Préface à l'amour
(1953) lui a valu
le prix Guillaume-
Apollinaire.

Des portes du matin l'amante de Céphale,
Ses roses épandait dans le milieu des airs :
Et jetait sur les cieux nouvellement ouverts,
Ces traits d'or et d'azur qu'en naissant elle étale,

Quand la nymphe divine, à mon repos fatale,
Apparut, et brilla de tant d'attraits divers,
Qu'il semblait qu'elle seule éclairait l'univers,
Et remplissait de feux la rive orientale.

Le soleil se hâtant pour la gloire des cieux,
Vint opposer sa flamme à l'éclat de ses yeux,
Et prit tous les rayons dont l'Olympe se dore.

L'onde, la terre, et l'air s'allumaient à l'entour ;
Mais auprès de Philis on le prit pour l'aurore,
Et l'on crut que Philis était l'astre du jour.

Vincent Voiture
(1597-1648). –
Entré au service de
Gaston d'Orléans,
il fut introduit
à l'hôtel de
Rambouillet, temple
de la préciosité.
Bel esprit, il sut
se faire apprécier
dans ce cénacle.
Mais sa poésie
atteint à une
perfection formelle
à laquelle nous
sommes encore
sensibles.

Saint-John Perse (1887-1975). — Diplomate, il passa en Amérique durant la guerre et, après 1945, fit de longs séjours en France, dans la presqu'île d'Hyères. Il publia, en 1911, *Éloges*, puis *Anabase* (1925), *Exils* (1942), *Pluies* (1943), *Neiges* (1944), *Vents* (1946) et *Amers* (1957). Il a reçu, en 1961, le prix Nobel de littérature.

Nous descendrons aux baies mi-closes où l'on baigne au matin
les jeunes bêtes échauffées, encore toutes gluantes du premier flux
de sève vaginale. Et nagerons de pair, avant de lever l'ancre, sur
ces hauts-fonds d'eau claire, carrelés d'azur et d'or, où vont nos
ombres s'unissant au même lé de songe.

Le vent se lève. Hâte-toi. La voile bat au long du mât.
L'honneur est dans les toiles ; et l'impatience sur les eaux comme
fièvre du sang. La brise mène au bleu du large ses couleuvres d'eau
verte. Et le pilote lit sa route entre les grandes taches de nuit
mauve, couleur de cerne et d'ecchymose.

... Amies, j'ai tant rêvé de mer sur tous nos lits d'amants ! et si
longtemps l'Intruse a sur nos seuils traîné sa robe d'étrangère,
comme bas de jupe sous les portes... Ah ! qu'une seule vague par
le monde, qu'une même vague, ô toutes, vous rassemble,
compagnes et filles de tout rang, vivantes et mortes de tout sang !

Ô mon amour au goût de mer, que d'autres paissent loin de mer
l'églogue au fond des vallons clos – menthes, mélisse et mélilot,
tiédeurs d'alysse et d'origan – et l'un y parle d'abeillage et l'autre
y traite d'agnelage, et la brebis feutrée baise la terre au bas des
murs de pollen noir. Dans le temps où les pêches se nouent, et
les liens sont triés pour la vigne, moi j'ai tranché le nœud de
chanvre qui tient la coque sur son ber, à son berceau de bois.
Et mon amour est sur les mers ! et ma brûlure est sur les mers !...

LE TORRENT
IDYLLE PERSANE

L'orage a grondé sur ces montagnes. Les flots échappés des nuages ont tout à coup enflé le torrent : il descend rapide et fangeux, et son mugissement va frapper les échos des cavernes lointaines. Viens, Zaphné ; il est doux de s'asseoir après l'orage sur le bord du torrent qui précipite avec fracas ses flots écumeux.

Ce lieu sauvage me plaît ; j'y suis seul avec toi, près de toi. Ton corps délicat s'appuie sur mon bras étendu, et ton front se penche sur mon sein. Belle Zaphné, répète le chant d'amour que ta bouche rend si mélodieux. Ta voix est douce comme le souffle du matin glissant sur les fleurs ; mais je l'entendrai, oui, je l'entendrai malgré le torrent qui précipite avec fracas ses flots écumeux.

Tes accents pénètrent jusqu'au cœur ; mais le sourire qui les remplace est plus délicieux encore. Oui, le sourire appelle et promet le baiser... Ange d'amour et de plaisir, la rose et le miel sont sur tes lèvres. Sois discret, ô torrent qui précipite avec fracas tes flots écumeux !...

Ernest Désiré de Parny (1753-1814). – Il est considéré comme l'inventeur du poème en prose et, à ce titre, comme l'un des précurseurs de Baudelaire.

TRISTESSE EN MER

Les mouettes volent et jouent ;
Et les blancs coursiers de la mer,
Cabrés sur les vagues, secouent
Leurs crins échevelés dans l'air.

Le jour tombe ; une fine pluie
Éteint les fournaises du soir,
Et le steam-boat crachant la suie
Rabat son long panache noir.

Plus pâle que le ciel livide
Je vais au pays du charbon,
Du brouillard et du suicide ;
– Pour se tuer le temps est bon.

Mon désir avide se noie
Dans le gouffre amer qui blanchit ;
Le vaisseau danse, l'eau tournoie,
Le vent de plus en plus fraîchit.

Oh ! je me sens l'âme navrée ;
L'Océan gonfle, en soupirant,
Sa poitrine désespérée,
Comme un ami qui me comprend...

Théophile Gautier
(1811-1872). –
Poète, romancier
et critique, l'auteur
du *Capitaine
Fracasse* (1863),
fils d'un ancien
officier de
Napoléon, fut
d'abord un militant
du romantisme
le plus excentrique.
Admirateur de
Victor Hugo, il opta
finalement pour
la théorie de l'art
pour l'art, c'est-à-
dire la primauté
donnée à la beauté
formelle avec
Émaux et Camées
(1852).

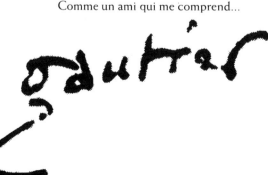

MORTELLE

Pour charmer
ta chevelure
de luciole,
Deborah,
toute la mer
a ourlé
ses tempêtes
en dentelles
à tes genoux.

André Frénaud
(1907-1993). –
Après des études
de droit et de
philosophie, il
devint en 1930
lecteur à
l'université de
Lwow, alors en
Pologne, et
voyagea jusqu'en
1939. C'est en
captivité, de 1940
à 1942, qu'il
commença à écrire
les poèmes des
Rois mages. De
retour en France,
il participa, avec
Éluard, au recueil
clandestin de
*L'Honneur
des poètes*.

SONNET BAROQUE

Je voudrais être au profond de la mer
Ou sur un mont quelque roche insensible ;
Je voudrais être une souche impassible
A celle fin de ne pouvoir aimer.

Pour aimer trop et pour trop estimer
Une beauté rigoureuse au possible,
Je souffre au cœur un tourment si terrible
Qu'il n'en est point là-bas de plus amer.

Dieux Immortels, si la pitié demeure
Dedans vos cœurs, permettez que je meure,
Ou que je sois en marbre transformé.

A celle fin qu'en si dure nature
Je puisse mieux supporter l'aventure
D'un misérable amant aimant sans être aimé.

Guy De Tours
(1562-1599). –
Auteur de poésies
légères et
gracieuses dans
lesquelles il mêle
lyrisme familier
et sentiment
de la nature.

Les vents grondoyent en l'air, les plus sombres nuages
Nous desroboyent le jour pesle mesle entassez
Les abismes d'enfer estoyent au ciel poussez
La mer s'enfloit des monts, et le monde d'orages :

Quand je vy qu'un oyseau delaissant nos rivages
S'envole au beau milieu de ces flots courroucez,
Y pose de son nid les festus ramassez
Et rappaise soudain ses escumeuses rages.

L'amour m'en fit autant, et comme un Alcion
L'autre jour se logea dedans ma passion
Et combla de bon-heur mon ame infortunee.

Après le trouble, en fin, il me donna la paix
Mais le calme de mer n'est qu'une fois l'annee
Et celuy de mon ame y sera pour jamais.

Jean de Sponde
(1557-1595). —
Ce protestant,
converti au
catholicisme en
même temps
qu'Henri IV dont
il fut un serviteur
dévoué, est sans
doute un des plus
grands poètes
religieux et
philosophiques
de toute la poésie
française.

LES ROSES D'ISPAHAN

Les roses d'Ispahan dans leur gaine de mousse,
Les jasmins de Mossoul, les fleurs de l'oranger
Ont un parfum moins frais, ont une odeur moins douce,
Ô blanche Leïlah ! que ton souffle léger.

Ta lèvre est de corail, et ton rire léger
Sonne mieux que l'eau vive et d'une voix plus douce,
Mieux que le vent joyeux qui berce l'oranger,
Mieux que l'oiseau qui chante au bord du nid de mousse.

Mais la subtile odeur des roses dans leur mousse,
La brise qui se joue autour de l'oranger
Et l'eau vive qui flue avec sa plainte douce
Ont un charme plus sûr que ton amour léger !

Ô Leïlah ! depuis que de leur vol léger
Tous les baisers ont fui de ta lèvre si douce,
Il n'est plus de parfum dans le pâle oranger,
Plus de céleste arôme aux roses dans leur mousse.

L'oiseau, sur le duvet humide et sur la mousse,
Ne chante plus parmi la rose et l'oranger ;
L'eau vive des jardins n'a plus de chanson douce,
L'aube ne dore plus le ciel pur et léger.

Oh ! que ton jeune amour, ce papillon léger,
Revienne vers mon cœur d'une aile prompte et douce,
Et qu'il parfume encor les fleurs de l'oranger,
Les roses d'Ispahan dans leur gaine de mousse.

Leconte de Lisle (1818-1884). – Fils d'un chirurgien militaire de l'île de la Réunion, il milita, en métropole, en faveur de la République et de l'abolition de l'esclavage. C'est dans les traductions des œuvres de la littérature grecque qu'il trouva les thèmes de ses premiers poèmes (*Poèmes antiques*, 1852). Dix ans plus tard, ce furent les *Poèmes barbares*, puis les *Poèmes tragiques*. Élu au fauteuil de Victor Hugo à l'Académie française, il est considéré comme le père de l'école parnassienne.

LE TEMPS DES CERISES

Quand nous chanterons le temps des cerises,
Et gai rossignol et merle moqueur
                    Seront tous en fête ;
Les belles auront la folie en tête
Et les amoureux du soleil au cœur...
Quand nous chanterons le temps des cerises,
Sifflera bien mieux le merle moqueur.

Mais il est bien court, le temps des cerises,
Où l'on s'en va deux cueillir en rêvant
                    Des pendants d'oreilles !
Cerises d'amour, aux robes pareilles,
Tombant sous la feuille en gouttes de sang !...
Mais il est bien court le temps des cerises,
Pendants de corail qu'on cueille en rêvant !

Quand nous en serons au temps des cerises,
Si vous avez peur des chagrins d'amour,
                    Évitez les belles.
Moi qui ne crains pas les peines cruelles,
Je ne vivrai point sans souffrir un jour...
Quand nous en serons au temps des cerises,
Vous aurez aussi vos peines d'amour.

J'aimerai toujours le temps des cerises ;
C'est de ce temps-là que je garde au cœur
                    Une plaie ouverte ;
Et dame Fortune, en m'étant offerte,
Ne pourra jamais fermer ma douleur...
J'aimerai toujours le temps des cerises
Et le souvenir que je garde au cœur.

Jean-Baptiste Clément (1836-1903). —Partisan de la Commune de Paris, il consacra la plus grande partie de sa vie à défendre ses idéaux socialistes. Il publia des recueils de chansons, dont certaines sont très connues, comme *Dansons la Capucine* et *La Marjolaine*.

L'EXILÉ DE NOVEMBRE

Je pars. Tes lents cheveux sanglotent sur mon âme,
et déjà tu me perds dans l'ombre, ô bien-aimée !
Qui donc est revenu jamais ? Un soir d'automne
une feuille tombée sur la vasque, ce cri
d'un pas sur le gravier des heures ! mais l'allée
s'éloigne, et le passant se hâte vers l'hiver.
Un piano désert joue longtemps dans la brume,
il pleut. J'enfonce mes épaules, je rabats
mon chapeau sur ces yeux où s'éteint un novembre
transi de larmes, ton visage

Glisse loin,

glisse vers le retour éternel où se fondent
les départs sans espoir de retour, les adieux
jetés dans le brouillard suprême des années
et qui trente ans après sonnent toujours, là-bas.

Pierre Emmanuel (1916-1984). – Ce grand poète chrétien que la Résistance révéla à lui-même devait élaborer d'une des plus importantes "sommes" de poésie de notre temps, cherchant à trouver une issue aux difficiles rapports de la chair et de la spiritualité.

LA PLACE DE LA CONCORDE

Il n'y avait ce jour-là
il n'y avait ce jour-là
que deux personnes dans Paris
dans Paris
un petit Monsieur à Montmartre
une petite dame à Montsouris
à Montsouris.

Du sud au nord du nord au sud
de bon matin ils sont partis
sont partis
sur la place de la Concorde
sur la place de la Concorde
ils se sont rencontrés à midi
à midi.

Bonjour Monsieur bonjour Madame
bonjour Madame bonjour Monsieur
ah je vois bien dit-il dit-elle
c'est pour ça que nous étions partis
étions partis.

Mais nom de nom dit-il dit-elle
mais où sont donc les habitants ?
les habitants ?

Elle lui répond il lui répond :
chacun mon bon chacun ma belle
chacun croit qu'il n'y a personne
sinon l'amour de lui pour elle
sinon l'amour d'elle pour lui,
d'elle pour lui.
C'est ainsi mon bon ma belle
c'est ainsi ma belle mon bon
c'est ainsi qu'il n'y a personne
c'est ainsi qu'on est des millions
des millions.

Jean Tardieu
(1903-1996). –
On ne sait trop
ce qui est le plus
prenant dans la
poésie de Jean
Tardieu : les
merveilleux jeux
de langage (*Une
voix sans personne*,
par exemple) ou
les cheminements
méditatifs et
tendres d'un recueil
comme *Le Fleuve
caché*.

POÈME POUR PAUL CHAULOT

Je n'ai jamais vécu vie autre que la mienne,
Je n'ai jamais mangé autre pain que mon corps ;
Autre sang que le mien ne coule, et les morts même
Que j'ai lavés naguère étaient morts de ma mort.

Je n'ai jamais été pour l'homme une autre rive,
Il n'a jamais été mon reflet d'outre-cœur ;
Si je me bats pour lui, pour que son règne arrive,
C'est son poing que je crispe et c'est lui mon vainqueur.

Nous habitons tous deux la même peau brouillée
Que la honte et l'espoir font frémir tour à tour
Et la nuit, scrutant sa véronique souillée,
N'y trouve qu'une empreinte à présenter au jour.

Nous avons mêmes traits, nous avons le même âge,
Je marche de sa marche, il sait où nous irons ;
Si je parle d'azur, il me redit l'orage
Qui déchira le ciel entre les deux larrons ;

Si je pleure sur moi, ce sont ses mains trouées
Qui montent vers mes yeux pour y sécher mes pleurs ;
Si je pleure sur lui, son doigt, sous les nuées
D'usine, me désigne un jardin fou de fleurs.

Il me dit, je me dis qu'il faut vivre les êtres,
Être les choses qui ne sont qu'un nom furtif,
Nier, en existant, que le Néant soit maître
D'un monde où les bourreaux implorent les captifs,

Et que je suis fidèle, et que je suis semblable,
A tâtonner obscur, à geindre mon désir,
A ramasser sans fin des coques sous le sable
D'un autrefois fourbu qui ne veut pas finir,

A feindre le sommeil pour corriger le songe
Et, dans le ciel en flammes écroulé sur nos bords,
Découvrir un Royaume, où l'oiseau noir qui plonge
Ne trouve qu'un abîme encombré d'astres morts.

Je vivrai, je mourrai d'avoir été cet homme
Dont la voix de sentence éclate les prisons,
A qui le chaud d'un sein, le parfum d'une pomme
Arrachent un sanglot qui n'est qu'une oraison.

Jean Rousselot
(né en 1913). –
Cet infatigable
combattant de la
poésie a écrit une
œuvre considérable
dont s'affirme
d'année en année
la profondeur.
Au sens propre
du mot. Car il s'agit
bien d'une poésie
du dessous. En
témoigne le fort
volume qui
rassemble une
bonne partie de
son œuvre, paru en
1976, *Les Moyens
d'existence*.

Hier, ton rire sonnait clair
je le buvais comme un vin jeune.
Maintenant, davantage livrée,
tu souris presque gravement
de tes yeux à demi fermés

et c'est au fond de ma poitrine
qu'une explosion les rouvre.

La beauté calme de ton visage
me foudroie.

Jean Orizet (né en
1937). – Après de
nombreux voyages
à travers le monde,
Jean Orizet s'est
consacré à la
poésie comme
éditeur et comme
écrivain (*Errance*,
1962; *L'Horloge
de vie*, 1966;
*Silencieuse Entrave
du temps*, 1972).
Il a réuni de larges
extraits de ses
œuvres dans
En soi le chaos
(1975).

LA JEUNE FILLE DE BUDAPEST

Dans la brume tiède d'une haleine de jeune fille, j'ai pris place.

Je me suis retiré, je n'ai pas quitté ma place.

Ses bras ne pèsent rien. On les rencontre comme l'eau.

Ce qui est fané disparaît devant elle. Il ne reste que ses yeux.

Longues belles herbes, longues belles fleurs croissaient
   dans notre champ.

Obstacle si léger sur ma poitrine, comme tu t'appuies maintenant.

Tu t'appuies tellement, maintenant que tu n'es plus.

Henri Michaux (1899-1984). – Après avoir beaucoup voyagé à travers le monde, Henri Michaux, à la suite de la mort de sa femme, se retira du monde et vécut littéralement coupé du monde. Son œuvre poétique, picturale et graphique est considérable; citons *La Nuit remue* (1935), *L'Espace du dedans* (1944), *Connaissance par les gouffres* (1961)...

La merveille que nous avons n'a plus besoin de paroles
mais de serrer ses mailles par-dessus nos séparations
comme le signe de notre nouvelle nature nous la portons
sous cette merveille nous naissons
avec nos fragments elle forme la continuité
sans laquelle nous ne pouvons pas vivre
par elle tes mots viennent entre les miens comme le corps suit
    les paroles
ils ne se répondent pas mais ils marchent ensemble
faisant le langage comme l'amour.

Henri Meschonnic (né en 1932). – Cet incomparable traducteur de la Bible est également un grand poète.

SOUVENIR DE CE RETOUR

Ne dis point que le ciel est bleu ! Il est quatre heures.
Point d'air, point de soleil ; le ciel est blanc et bleu.
– Ne dis point que je suis ici ! – Un enfant pleure.
Je sens l'odeur des fleurs une par une. Il pleut.

Donc c'est cela le monde et c'est cela la vie !
C'était cela, la Mer ! Et le reste est ceci.
Passé, présent, tout est comme en photographie.
Ô le hasard, ô l'amertume d'être ici !

Est-ce toi mon âme ? Écoute. Dis : *Je suis seule.*
– Et puis encor ? L'ennui ! L'ombre qui fait son tour.
– Et puis ? – La paix. Plus rien. La paix. Dis : *Je suis seule.*
– Amour. – Pas amour ! Ne dis pas amour !

Amour ! Parce que je suis grandement malade.
Amour ! Dis : *Je suis seule.* Ne dis point amour.
Hier ! Demain ! La chose à faire ! tout est fade.
Il me dure et de moi et de vivre et du jour !

J'aime ! – Et puis ? – J'aime ! – Et qui ? – Je n'aime
rien, chut – J'aime !
J'aime ! – Tout le monde est rentré, voici le soir.
La lampe se rallume et ce lieu est le même.
– Que la mer était triste et que le ciel est noir !

Paul Claudel
(1868-1955). –
Grand auteur
dramatique,
écrivain, poète,
Claudel fit des
études de droit
et de sciences
politiques. Le 25
décembre 1886,
il fut frappé par la
grâce à Notre-Dame
et se convertit.
Consul en Chine,
en Allemagne,
ambassadeur,
il ne cessa d'écrire :
Cinq Grandes Odes
(1908), *Le Chemin
de Croix* (1911),
Visages radieux
(1947)...

Marceline Desbordes-Valmore (1786-1859). – Comédienne, cantatrice, le malheur sembla marquer sa vie. Elle exprime, dans sa poésie, ses tourments et ses amours : *Élégies et poésies nouvelles* (1824), *Poésies* (1830), *Les Pleurs* (1833)... Admirée de Lamartine, Hugo, Baudelaire, elle fut proclamée par Verlaine "seule femme de génie de ce siècle".

LA JEUNE FILLE ET LE RAMIER

Les rumeurs du jardin disent qu'il va pleuvoir ;
Tout tressaille, averti de la prochaine ondée ;
Et toi qui ne lis plus, sur ton livre accoudée,
Plains-tu l'absent aimé qui ne pourra te voir ?

Là-bas, pliant son aile et mouillé sous l'ombrage,
Banni de l'horizon qu'il n'atteint que des yeux,
Appelant sa compagne et regardant les cieux,
Un ramier, comme toi, soupire de l'orage.

Laissez pleuvoir, ô cœurs solitaires et doux !
Sous l'orage qui passe il renaît tant de choses.
Le soleil sans la pluie ouvrirait-il les roses ?
Amants, vous attendez, de quoi vous plaignez-vous ?

Ma seule amour, ma joie et ma maîtresse,
Puisqu'il me faut loin de vous demeurer,
Je n'ai plus rien à me réconforter,
Qu'un souvenir pour retenir liesse.

En allégeant, par Espoir, ma détresse,
Me conviendra le temps ainsi passer,
Ma seule amour, ma joie et ma maîtresse,
Puisqu'il me faut loin de vous demeurer.

Car mon las cœur, tout garni de
    tristesse,
S'en est voulu avecques vous aller ;
Ne je ne puis jamais le recouvrer
Jusque verrai votre belle jeunesse,
Ma seule amour, ma joie et ma maîtresse.

Charles d'Orléans
(1391-1465). –
Fils de Louis
d'Orléans, fait
prisonnier à
Azincourt, il resta
vingt-cinq ans en
Angleterre captif
des Anglais. Libéré,
il se réfugia dans
son château de
Blois et se consacra
à la poésie. Poète
de son temps,
il écrit ballades
et rondeaux, où
il introduit une
fluidité toute
musicale. Il est
à l'origine de tout
un courant
poétique, de Villon
à Marot, jusqu'à
Verlaine et
Apollinaire.

CHANSON

Si c'est un crime que l'aimer,
L'on n'en doit justement blâmer
Que les beautés qui sont en elle :
    La faute en est aux dieux
    Qui la firent si belle,
    Mais non pas à mes yeux.

Car elle rend par sa beauté
Les regards et la liberté
Incomparables devant elle :
    La faute en est aux dieux
    Qui la firent si belle,
    Mais non pas à mes yeux.

Je suis coupable seulement
D'avoir beaucoup de jugement,
Ayant beaucoup d'amour pour elle :
    La faute en est aux dieux
    Qui la firent si belle,
    Mais non pas à mes yeux.

Qu'on accuse donc leur pouvoir,
Je ne puis vivre sans la voir,
Ni la voir sans mourir pour elle :
    La faute en est aux dieux
    Qui la firent si belle,
    Mais non pas à mes yeux.

Cette chanson, dont la musique est de Boisset (le père), fut chantée maintes fois à la cour de Louis XIII et fut célèbre dans tout le royaume pendant des années...

BELLE DOETTE

La belle Doette s'assied aux fenêtres,
lit en un livre, mais son cœur ne s'y intéresse ;
il lui ressouvient de son ami Doon
Qui est allé jouter en d'autres terres.
    Et j'en ai deuil.

Un écuyer aux degrés de la salle
est descendu, il a défait sa malle.
La belle Doette descend l'escalier ;
elle ne pense pas ouïr mauvaise nouvelle.
    Et j'en ai deuil.

La belle Doette lui demanda aussitôt :
"Où est mon époux que je ne vis depuis si longtemps ?"
Celui-ci eut telle douleur qu'il pleura de pitié.
La belle Doette aussitôt se pâma.
    Et j'en ai deuil.

La belle Doette s'est dressée debout,
elle voit l'écuyer, elle se dirige vers lui ;
elle est dolente et attristée en son cœur,
à cause de son mari dont elle ne voit pas trace,
    Et j'en ai deuil.

La belle Doette se prit à lui demander :
"Où est mon époux que je dois tant aimer ?
– Au nom de Dieu, dame, je ne cherche plus à vous le celer :
Messire est mort, il fut tué au tournoi."
    Et j'en ai deuil.

La belle Doette commence à exhaler sa douleur.
"Vous y allâtes pour votre malheur, comte Doon,
    loyal et débonnaire.
Pour l'amour de vous je vêtirai la haire,
et sur mon corps il n'y aura pelisse de vair.
    Et j'en ai deuil.
Pour vous je deviendrai nonne en l'église Saint-Paul."

Pour vous je ferai une abbaye telle
qu'au jour fixé de la fête du saint,
si nul y vient qui ait trahi son amour,
il ne saura trouver l'entrée du moutier.
    Et j'en ai deuil.
Pour vous je deviendrai nonne en l'église Saint-Paul.

La belle Doette a commencé à faire son abbaye;
elle est très grande et sera plus grande encore :
elle veut y attirer tous ceux et celles
qui pour l'amour savent endurer peine et malheur.
    Et j'en ai deuil.
Pour vous je deviendrai nonne en l'église Saint-Paul.

CHANSON

Bon jour mon cœur, bon jour ma douce vie,
Bon jour mon œil, bon jour ma chère amie !
    Hé ! bon jour ma toute belle,
    Ma mignardise, bon jour,
    Mes délices, mon amour.
Mon doux printemps, ma douce fleur nouvelle,
Mon doux plaisir, ma douce colombelle,
Mon passereau, ma gente tourterelle,
    Bon jour ma douce rebelle.

Je veux mourir, si plus on me reproche
Que mon service est plus froid qu'une roche,
    T'abandonnant, ma maistresse,
    Pour aller suivre le Roy,
    Et chercher je ne sçay quoy,
Que le vulgaire appelle une largesse.
Plustost perisse honneur, court et richesse,
Que pour les biens jamais je te relaisse,
    Ma douce et belle Deesse.

Pierre de Ronsard (1524-1585). – Tout le destinait au métier des armes. Atteint de surdité, il choisit la littérature. Fondateur de l'école de la Pléiade, il fut un poète de cour, entouré de princes et de lettrés, menant une existence riche en gloire et en amours. Ses œuvres : *Les Odes* (1550-1556), *Les Amours* (1552-1555), *Les Hymnes* (1555-1556), *Les Amours d'Hélène* (1578).

CHANSON

Mon bien-aimé s'en fut chercher l'amour
Dès le matin parmi les fleurs écloses.
Pour le trouver il effeuillait les roses
Couleur du soir, de l'aurore et du jour.
Mon bien-aimé n'a pas trouvé l'amour.

Je l'attendais, pâle et grise lavande,
Et tout mon cœur embaumait son chemin.
Il a passé... j'ai parfumé sa main,
Mais il n'a pas vu mes yeux pleins d'offrande.

Mon bien-aimé s'en fut chercher l'amour
Au verger mûr quand midi l'ensoleille.
Pour le trouver il goûtait la groseille,
La pomme d'or, la pêche, tour à tour...
Mon bien-aimé n'a pas trouvé l'amour.

Je l'attendais, fraise humble à ses pieds toute,
Et mon sang mûr embaumait son chemin.
Hélas ! mon sang n'a pas taché sa main.
Il a marché sur moi, suivant sa route.

Vent du ciel ! Vent du ciel ! éparpille mon cœur !
Je n'en ai plus besoin. Ô brise familière,
Perds-le ! Dessèche en moi ma source, éteins ma fleur
Ô vent, et dans la mer va jeter ma poussière !

Marie Noël (1883-1967). – Elle publia son premier recueil, *Les Chansons et les heures*, en 1920. Son père, professeur de philosophie, était incroyant : peu à peu elle sentit au contraire la montée en elle du sentiment religieux. Son œuvre poétique fut en partie rassemblée en 1947 dans *Chants et Psaumes d'automne*. En 1966, elle reçut le Grand Prix littéraire de la Ville de Paris.

TABLE DES MATIÈRES

Nous remercions les auteurs et éditeurs qui nous ont autorisé à reproduire textes ou fragments de textes dont ils gardent l'entier copyright (texte original ou traduction). Nous avons par ailleurs, en vain, recherché les héritiers ou éditeurs de certains auteurs. Leurs œuvres ne sont pas tombées dans le domaine public. Un compte leur est ouvert à nos éditions.

ICONOGRAPHIE

5 Le Diable au corps (photo Roger-Viollet) **10** F. Arvers (photo X, tous droits réservés) **15** L. Aragon (photo X, tous droits réservés) **17** A. Artaud (photo X, tous droits réservés) **19** A. Breton (photo X, tous droits réservés) **20** Affiche de G. Meunier pour le bal Bullier (photo Roger-Viollet) **22** R. Char (photo X, tous droits réservés) **23** C. Cros (photo X, tous droits réservés) **25** G. de Nerval (photo X, tous droits réservés) **26 et 162** Le Fait et la théorie du pendule (tableau de Gavarni, photo Roger-Viollet) **28-29** Ravissement (Dessin de Le Bon, photo Réunion des Musées Nationaux). M. Fombeure (photo X, tous droits réservés) **31** E. Guillevic (photo X, tous droits réservés) **32-33** Couple (litho, 1850, photo Roger-Viollet) **36-37** S. Mallarmé par Verlaine (photo X, tous droits réservés) **39** H. de Montherlant par Henri Matisse (photo X, tous droits réservés) **41-42-43** Photo Roger-Viollet **45** P. Soupault (photo X, tous droits réservés) **46-47** P.-J. Toulet (photo X, tous droits réservés). Botticelli, Naissance de Vénus (Musée des Offices, Florence). P. Valéry (photo X, tous droits réservés) **49** P. Verlaine par Cazals (photo X, tous droits réservés) **51** Couple (photo Roger-Viollet) **52** Photo Roger-Viollet **54-55** La Naissance de Vénus, détail (dessin du XVIIIᵉ siècle, photo Roger-Viollet) **57** Les Partageuses (gravure de Gavarni, photo Roger-Viollet). T. Corbière (photo X, tous droits réservés) **58-59** G. Duhamel (photo X, tous droits réservés). Éluard par Picasso (photo X, tous droits réservés). P. Éluard (photo X, tous droits réservés) **63** E. Jabès (photo X, tous droits réservés) **64-65** Photo BN. M. Jacob (photo X, tous droits réservés). F. Jammes (photo X, tous droits réservés) **66-68** Photo BN **69** A. de Musset (photo X, tous droits réservés) **72** P. Reverdy (photo X, tous droits réservés) **77** J. Supervielle (photo X, tous droits réservés) **79** T. Tzara (photo X, tous droits réservés) **83** Photo BN. C. Vildrac (photo X, tous droits réservés) **84** J. Follain (photo X, tous droits réservés) **86-87** Photo BN. L. Bérimont (photo X, tous droits réservés) **91** Photo BN **92-93** Photo Roger-Viollet **94** P. Borel, photo X, tous droits réservés **95** A. Bosquet, photo X, tous droits réservés **96** Apollinaire, par Vlaminck (photo X, tous droits réservés) **97** Cendrars, par Modigliani (photo X, tous droits réservés) **98** Francis Carco par Geoffroy (photo X, tous droits réservés) **100-101** Baudelaire par Manet (photo X, tous droits réservés) **102** P. Gilson (photo X, tous droits réservés) **104-105** Paul Éluard et Nusch (photo Martinie-Viollet) **107** M. Maeterlinck (photo X, tous droits réservés) **108** Pierre Jean Jouve (photo X, tous droits réservés) **109** M. Leiris (photo X, tous droits réservés) **110-111** Photo X, tous droits réservés **113** A. Chénier, photo X, tous droits réservés **116** V. Godel (photo X, tous droits réservés) **119** R. Vivien (photo X, tous droits réservés) **120** Naissance de Vénus, détail (photo Roger-Viollet) **122** P. Fort (photo X, tous droits réservés) **126** Les Partageuses, gravure de Gavarni (photo Roger-Viollet) **127** G. Bataille (photo X, tous droits réservés) **128** J. Malrieu (photo X, tous droits réservés) **129** Photo BN **130** Saint-John Perse par Pietro Lazzari (photo X, tous droits réservés) **133** T. Gautier, caricature (photo X, tous droits réservés) **134** A. Frénaud (photo X, tous droits réservés) **138-139** P.-C. Ingouf, Eau-forte, d'après Greuze **141** P. Emmanuel (photo X, tous droits réservés) **143** J. Tardieu (photo X, tous droits réservés) **146-147** Photo BN. H. Michaux (photo X, tous droits réservés) **148** Photo Roger-Viollet **150** P. Claudel (photo X, tous droits réservés). M. Desbordes-Valmore (photo X, tous droits réservés) **152-153** Gravure de Le Blond (photo Roger-Viollet) **157** M. Noël (photo X, tous droits réservés) **164-165** ill. Étienne Théry

L'amour et l'amitié
en poésie
Supplément illustré
réalisé par Sylvie Florian-Pouilloux

Ce n'est pas un hasard si ont été rassemblés dans une même anthologie quelques poèmes inspirés par l'amour et par l'amitié. Ce sont deux mots qui recouvrent des notions très proches et cependant différentes. Chacune est à la source d'une foule innombrable de poèmes. Certains auteurs ont même été jusqu'à dire que tout poème était expression de l'amour.

Ce poème est l'amour réalisé du désir demeuré désir, a pu dire René Char. C'est que l'amour est lié au désir, à l'incertitude, aux vagues de la passion. *Amour tenace, Amour tremblant*, a dit un autre poète. A l'inverse, il semble que l'amitié soit un sentiment peut-être plus rare, plus solide, plus permanent, et les poèmes de l'amitié paraissent dans la plupart des cas "sereins"; ils parlent du dedans; ils apaisent; ils rassurent.

Amour, amitié

Autour de l'amour, la poésie brûle. Il faut dire que l'amour est un sentiment passion qui couvre un champ plus vaste que l'amitié. On peut parler de l'amour de l'humanité, de l'amour de Dieu. L'amitié ne concerne le plus souvent que deux êtres. Quelques définitions le prouvent.

La symbolique, les mythes de l'amour sont d'ailleurs plus riches que ceux de l'amitié. Mais l'amitié et l'amour ont, à travers la littérature en général et la poésie en particulier, pris des formes infiniment diverses liées à l'histoire des mœurs, de l'amour courtois à l'érotisme en passant par l'amour précieux, l'amour romantique; de l'amitié

exclusive entre deux êtres
au sentiment plus "moderne"
de camaraderie.
Dans ce recueil, quelques
thématiques sont ouvertes et
devraient conduire le lecteur
vers d'autres moissons. Toutes
les formes poétiques
de la littérature française ont
décliné les nuances de la
passion et du sentiment.
On verra aussi comment
fonctionne un genre poétique
très secret et difficile : le poème
en prose. Puis sera dévoilée
cette incompréhensible activité
qu'est un art poétique.

Le mot amour

Le mot vient du latin *amor*.
En 842, dans le *Serment de
Strasbourg*, premier texte écrit
en langue "vulgaire", on trouve
amur qui deviendra amour.
Il couvre de multiples sens.
Un sens général : mouvement
du cœur très puissant qui nous
entraîne vers des êtres auxquels
nous nous sentons attachés par
quelque lien : lien du sang, lien
sentimental, lien moral...
Il existe différents types
de liens :
– envers des êtres vivants
(amour maternel, filial, conjugal,
de soi...);
– envers des personnes
"morales" (amour de la patrie,

de la République);
– envers le prochain :
"Aimez-vous les uns les autres"
(Évangiles);
– envers Dieu.
L'état amoureux, c'est l'attirance
très forte qu'un être exerce sur
un être du sexe opposé
(ou du même sexe) et les
relations qui en résultent.
L'attirance peut être physique
et morale à la fois. Il peut s'agir
d'une liaison uniquement
charnelle, sexuelle (ce qui se
retrouve dans l'expression
"faire l'amour") , ou d'une liaison
uniquement morale,
sentimentale. Ainsi, l'amour
"platonique" s'oppose
à l'amour "charnel". Mais
les sentiments et le désir vont
le plus souvent de pair...
Enfin, on peut aimer des choses
ou des activités concrètes :
l'amour de la confiture, du sport,
des livres... ou des idées, des
valeurs : l'amour de la gloire,
de l'art...
Et l'amour de la poésie ? Ce sont
deux mots qui se confondent
comme dans le livre d'un de nos
grands poètes de l'amour, Paul
Éluard : L'Amour la poésie.

Le mot amitié

L'amitié est un sentiment sans
doute moins compliqué
que l'amour.

Le dictionnaire nous dit que l'amitié est "l'affection réciproque de deux êtres, étrangère au lien du sang et à l'attrait sexuel." Certes, quand on parle "d'amitiés particulières", on veut dire, tout en ne le disant pas, l'amour homosexuel. Mais l'amitié est bien un sentiment simple et profond. Et, parfois, l'amour finit en amitié, comme l'amitié peut se transformer en amour. C'est un peu pour cela que les poèmes que vous avez lus réunissent ces deux sentiments dans un même recueil !

Les mythes

Eros, le petit enfant amour

Dans la mythologie grecque, Eros, dieu de l'Amour, est le fils d'Aphrodite et d'Arès. Selon Platon, dans son dialogue sur l'amour intitulé *Le Banquet,* l'amour aurait une nature double selon qu'il est le fils de l'Aphrodite Pandemos, déesse du Désir brutal, ou de l'Aphrodite Ourania, déesse des Amours éthérées. Il est figuré sous la forme d'un enfant qui symbolise la jeunesse de tout amour profond, ainsi que son irresponsabilité. Il ne voit pas les humains, *l'amour est aveugle*, il les enflamme, leur perce le cœur de ses flèches, *les cœurs percés d'une flèche comme graffiti*, et ceci se retrouve dans toutes les cultures. Le globe qu'il tient dans ses mains suggère son universelle et souveraine puissance. La poésie amoureuse des XVIᵉ et XVIIᵉ siècles fait de nombreuses allusions à ce mythe, de même qu'à l'histoire mythique d'*Amour* et de *Psyché*.

La jeune fille Psyché

Elle est extrêmement belle mais ne peut trouver de fiancé tant sa perfection fait peur. Ses parents désespérés consultent un oracle : il faut exposer la jeune fille sur un rocher ; un monstre viendra pour l'épouser, dit l'oracle.
Mais un vent léger l'emporte dans les airs jusqu'à un superbe palais. Le soir, elle sent une présence à côté d'elle mais ne sait pas qui est là. La voix, celle du futur mari, est celle d'Eros, l'Amour ; il ne lui dit pas qui il est mais l'avertit que si elle le regarde, elle le perdra à jamais. Heureuse, elle revient chez elle, puis retourne à ce palais magnifique, allume une torche, et découvre un bel adolescent endormi. Sa main tremble d'émotion, une goutte d'huile bouillante tombe sur Eros, qui, découvert, s'enfuit.

Aphrodite furieuse impose à
Psyché des tâches de plus en
plus difficiles. Mais Eros ne peut
pas plus oublier Psyché qu'elle
ne l'oublie elle-même. Il obtient
de Zeus le droit de l'épouser.
L'histoire d'Eros et de Psyché
est racontée dans le livre
L'Ane d'Or,

tiré des *Métamorphoses*
de l'écrivain latin Apulée
(125-170 ap. J.-C.).

La force du mythe

Dans toutes les
cultures, l'Amour est une
force incarnée dans
un mythe.
Particulièrement
riche est le mythe
chinois pour
lequel tout dans
l'univers

résulte de l'union d'un principe
masculin, le Yang, et d'un
principe féminin, le Yin.
Les amitiés sont exemplaires,
non mythiques, et il est fort
difficile de trouver des mythes
issus d'un sentiment comme
l'amitié.
En revanche lorsqu'on veut
donner une idée forte de ce
sentiment simple qu'est l'amitié,
on cite des amis célèbres.
Par exemple, Achille et Patrocle.
Dans *L'Iliade*, Achille, le héros
valeureux, a un ami très cher.
Ce dernier, Patrocle, est tué
au combat. Jamais on n'avait
évoqué avec autant de force
l'amitié que dans les scènes
où Achille apprend la mort
de son ami, puis le pleure.
Et l'on cite ainsi des amis
de légende, ou des héros
de tragédie comme
Oreste et Pylade dans
Andromaque de
Racine.

Le poème en prose

Ce recueil contient des poèmes
à forme fixe, comme le sonnet,
des poèmes en vers réguliers,
des poèmes en vers libres
réguliers, ainsi les fables de La
Fontaine, des poèmes de forme
libre, et des poèmes en prose.
Souvent l'amour s'est exprimé

sous cette forme de poème en prose. Un genre indéfinissable abstraitement mais que nous allons essayer de mieux connaître.

Chacun de ces poèmes est en même temps un récit. Ils racontent des histoires, si l'on peut dire. Mais ces histoires, on ne pourrait pas les raconter autrement, les résumer, les contracter. Elles signifient ce qu'elles sont, exclusivement fermées sur elles-mêmes. Le poème en prose fonctionne comme un tout. Le poème de Parny, *Le Torrent*, appartient à un ensemble, *Les Idylles* qui constituent les premiers vrais poèmes en prose de la poésie Chacun de ces poèmes est en même temps un récit. Ils racontent des histoires, si l'on peut dire. Mais ces histoires, on ne pourrait pas les raconter autrement, les résumer, les contracter. Elles signifient ce qu'elles sont, exclusivement fermées sur elles-mêmes. Le poème en prose fonctionne comme un tout. Le poème de Parny, *Le Torrent*, appartient à un ensemble, *Les Idylles* qui constituent les premiers vrais poèmes en prose de la poésie française. Le rythme "torrentueux" du poème est marqué par la répétition à la fin de chaque strophe du *torrent qui précipite avec fracas ses flots écumeux*, dont les sonorités rudes sont éclatantes Le poème de Baudelaire, *Les Yeux des pauvres*, qui exprime l'incommunicabilité dans l'amour, raconte une histoire un peu féérique (au troisième paragraphe) puis, à partir de : *Droit devant nous*, une extraordinaire série de répétitions tourne dans un tourbillon halluciné autour du mot *yeux*, tourbillon qui retombe et s'effondre dans la réplique triviale de la compagne du poète : *yeux ouverts comme des portes cochères !* Aloysius Bertrand, poète romantique, a écrit un poème-conte, *Madame de Montbazon*, sur une femme qui meurt d'amour en respirant une fleur.

La couleur des mots

Tout le poème est rempli de couleurs, de mots évoquant la mort : "*flambeaux de cire*", "*éternité*", "*la mourante*", "*papillon des tombeaux*", "*fermant les yeux*"... Avec là encore la répétition douce et comme haletante de mots décrivant le sommeil, les odeurs, et les fleurs qui, au début et à la fin, encadrent le texte. Le mouvement est bien, en effet, interne au poème.

Max Jacob a écrit de nombreux poèmes en prose. Dans *Poème sentimental*, c'est toute la tendresse des "amis inconnus" qui s'exprime. Avec cette superbe image au centre du texte : *ils étaient cachés sous la voile qui protège les plus délicats, ils étaient protégés contre moi*. L'allure très particulière du poème en prose, en dehors des jeux phonétiques, est marqué par des répétitions qui sont comme des soupirs.

Le poème d'Henri Michaux, *La Jeune Fille de Budapest*, est en même temps qu'un poème en prose un poème de forme libre. Ici encore, le poète raconte l'histoire de la jeune fille absente. Il n'est pas impossible qu'il évoque ainsi la mort de sa compagne. On raconte qu'après la disparition de cette dernière, Michaux se cloîtra dans sa chambre tapissée de liège pour n'entendre aucun bruit. Et ici, l'auteur procède encore par des répétitions ou plutôt des reprises directes.
"J'ai pris place",
"je n'ai pas quitté ma place",
"longues belles herbes, longues belles fleurs", *"comme tu t'appuies maintenant"*,
"Tu t'appuies tellement, maintenant que tu n'es plus".

Tout ce texte est léger, comme absent, et s'écoule doucement comme l'eau dont il est question. Le poème de René Char, *Affres, détonation, silence*, est lui aussi une histoire en même temps qu'il constitue un hommage du poète à l'un de ses compagnons de résistance. Char était en effet responsable du maquis de la région de Cereste.

Les faux amis

Il en va des mots comme des hommes. Il existe de faux amis, des mots qui nous trahissent. à cause d'une prononciation semblable ou voisine, ou encore parce qu'ils sont presque synonymes, on emploie parfois un mot pour un autre.
En voici quelques-uns de la pire espèce, qui exigent une définition précise. On vérifiera ensuite celle-ci dans un dictionnaire :
acceptation/acception
aiglefin/aigrefin
anoblir/ennoblir
ballade/balade
censé/sensé
colorer/colorier
conjoncture/conjecture
démystifier/démythifier

détoner/détonner
effraction/infraction
éminent/immanent/imminent
éthique/étique
héraut/héros
hiberner/hiverner
inclinaison/inclination
magnificence/munificence
martyre/martyr
original/originel
prémice/prémisse
voir/voire

Les mots ennemis

L'association des contraires, loin de laisser indifférent, suggère des images particulièrement évocatrices et troublantes. Le poète l'a bien compris en usant parfois de mots qui se heurtent. On peut ainsi lire ce vers de Joachim du Bellay : *Une froideur secrètement brûlante*, ou relever les contrastes que provoque la juxtaposition de ces vers du poème *Vie et mort confondues* de Vahé Godel :
[...] *nous dénudant pour mieux nous revêtir / pour mieux nous délivrer que l'ombre nous emmure* [...] *plus je sombre* [...] *plus je surplombe*
A votre tour, faites usage de mots ennemis dans un poème que vous dédierez à l'amitié.

De l'amitié

Tout comme Montaigne, au XVIe siècle, Cicéron, dans l'Antiquité, s'était fait le chantre de l'amitié, valeur chère aux Anciens, Grecs (Héraclite, Empédocle, Socrate, Platon ou Aristote) aussi bien que Romains (Sénèque).
Complétez ses réflexions sur l'amitié, en essayant de donner des définitions qui correspondent à ce que vous ressentez. Puis, rendez-vous à la page des solutions pour connaître l'opinion de Cicéron.

1. L'amitié naît lorsque...
2. La nature nous a donné l'amitié pour...
3. L'amitié procure d'innombrables avantages...
4. Observons donc en amitié cette loi sacrée...
5. Sachons qu'il n'est de pire fléau en amitié que...

Discours amoureux

De la langueur à l'exaltation, l'amour nous donne des états d'âme, nous fait pénétrer un monde riche de sentiments et de sensations.

Dans son livre *Fragments d'un discours amoureux*, Roland Barthes note certains de ces états, dont témoignent quelques grandes figures de la littérature : la rencontre, l'attente, la tendresse, l'absence, la connivence, la jalousie, etc.

A votre tour, retrouvez dans cette anthologie les poèmes qui disent les humeurs, les états d'âme de l'être amoureux. Ainsi, la souffrance de l'amour non partagé dans le *Sonnet baroque* de Guy de Tours ou l'attente dans La *Jeune Fille et le ramier* de Marceline Desbordes-Valmore, la séparation dans *L'Exilé de novembre* de Pierre Emmanuel…

2. Victimes d'un philtre magique et unis par une passion fatale, ils sont les protagonistes d'une légende médiévale reprise sous forme de poème puis de drame musical :
A. Carmen et Don José
B. Tristan et Iseult
C. Héloïse et Abélard

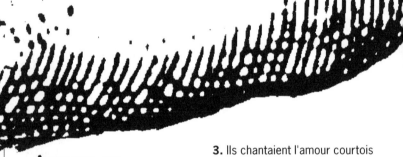

Amours en questions...

1. Le célèbre poème d'amour de Louis Aragon *Les Yeux d'Elsa*, est dédié à :
A. Elsa, la mère du poète
B. Elsa Triolet, romancière d'origine russe et compagne d'Aragon
C. Elsa, une égérie imaginaire

3. Ils chantaient l'amour courtois au Moyen Age :
A. Les troubadours
B. Les baladins
C. Les ménestrels

4. Phèdre est l'héroïne d'une tragédie en vers de :
A. Racine
B. Corneille
C. Héraclite

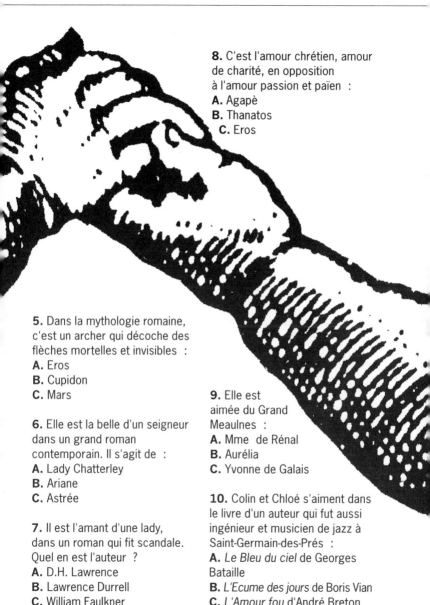

8. C'est l'amour chrétien, amour de charité, en opposition à l'amour passion et païen :
A. Agapè
B. Thanatos
C. Eros

5. Dans la mythologie romaine, c'est un archer qui décoche des flèches mortelles et invisibles :
A. Eros
B. Cupidon
C. Mars

6. Elle est la belle d'un seigneur dans un grand roman contemporain. Il s'agit de :
A. Lady Chatterley
B. Ariane
C. Astrée

7. Il est l'amant d'une lady, dans un roman qui fit scandale. Quel en est l'auteur ?
A. D.H. Lawrence
B. Lawrence Durrell
C. William Faulkner

9. Elle est aimée du Grand Meaulnes :
A. Mme de Rénal
B. Aurélia
C. Yvonne de Galais

10. Colin et Chloé s'aiment dans le livre d'un auteur qui fut aussi ingénieur et musicien de jazz à Saint-Germain-des-Prés :
A. *Le Bleu du ciel* de Georges Bataille
B. *L'Ecume des jours* de Boris Vian
C. *L'Amour fou* d'André Breton

Les amis

Ils furent liés par des amitiés
indéfectibles. Des retrouvailles
à organiser.

1. Douvard **2.** Diderot
3. Tintin **4.** Jules
5. Montaigne **6.** Marx
7. Cicéron **8.** D'Alembert
9. Pécuchet **10.** Atticus
11. Astérix **12.** Huckleberry
Finn **13.** Jim **14.** La Boétie
15. Tom Sawyer **16.** Obélix
17. Le capitaine Haddock
18. Engels

L'amour au figuré

De la carte du Tendre de Mlle
de Scudery jusqu'aux amoureux
des cartes postales, en passant
par l'Arbre aux épousailles,
l'expression des sentiments
ou états amoureux prend
bien des formes.
Dessinez un parcours amoureux.
Il peut ressembler à la carte
du Tendre, avec son Lac
d'Indifférence, ou ses villages
du nom de Tiédeur, Petits Soins,
Perfidie, etc. Il peut
se faire calligramme,
arbre aux branches
ramifiées, plan de métro,
carte de France, mappemonde…
Inspirez-vous pour ce faire
de documents que vous
rechercherez en bibliothèque.

De l'amitié

1. "L'amitié naît lorsqu'un mérite se manifeste avec suffisamment d'éclat et encourage une autre âme à se rapprocher pour s'associer à lui. Dès lors, l'affection en découle inévitablement."

2. "La nature nous a donné l'amitié pour aider la vertu, non pour accompagner les vices."

3. "L'amitié procure d'innombrables avantages ! Où que l'on soit, elle est là, toujours présente, jamais pesante."

4. "Observons donc en amitié cette loi sacrée : n'exigeons jamais rien, n'acceptons jamais rien déshonorant."

5. "Sachons qu'il n'est de pire fléau en amitié que la révérence, l'obséquiosité, la flatterie."

Amours en questions...
1 : B – 2 : B – 3 : A – 4 : A – 5 : B – 6 : B – 7 : A – 8 : A – 9 : C – 10 : B

Les amis
1 et 9 – 2 et 8 – 3 et 17 – 4 et 13 – 5
et 14 – 6 et 18 – 7 et 10 – 11 et 16 – 12 et 15

Solutions des jeux

Dépôt légal : avril 2003
Imprimé en France sur les presses de l'Imprimerie Hérissey
Numéro d'impression : 94554